estudios internacionales

LA VIOLENCIA CONTINÚA

Asesinatos políticos y reforma institucional en Colombia

AMERICAS WATCH, 1992

 TERCER MUNDO EDITORES

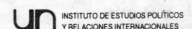 INSTITUTO DE ESTUDIOS POLÍTICOS Y RELACIONES INTERNACIONALES

 cei

TERCER MUNDO EDITORES

Transversal 2ª A No. 67-27 Tels.: 310 29 07 - 255 16 95
Santafé de Bogotá, Colombia

título original: *political murder and reform in colombia:
the violence continues*
traducción: paulina zuleta jaramillo

cubierta: masacre en caloto, fotografía de *el espectador*

primera edición en español: enero de 1993

© americas watch-human rights watch
© tercer mundo editores en coedición con el centro de estudios
   internacionales, universidad de los andes y el instituto
   de estudios políticos y relaciones internacionales, universidad
   nacional de colombia

ISBN 958-601-401-0

diseño, armada electrónica,
impresión y encuadernación:
tercer mundo editores

impreso y hecho en colombia
printed and made in colombia

2191-93-14

CONTENIDO

AMERICAS WATCH - HUMAN RIGHTS WATCH

El Comité de Americas Watch fue establecido en 1981 para promover y monitorear el cumplimiento de derechos internacionalmente reconocidos. Americas Watch hace parte de Human Rights Watch.

Americas Watch está compuesto por un presidente, Peter D. Bell; por dos vicepresidentes, Stephen L. Kass y Mariana Pinto Kaufman; el director ejecutivo, Juan E. Méndez; los directores asociados, Cynthia Arnson y Anne Manuel; el director de la sede en San Salvador, David Holiday; la consultora, Robin Kirk; la representante en Buenos Aires, Patricia Pittman; una asociada de investigación, Mary Jane Camejo; y tres asociados, Clifford C. Rhode, Benjamín Penglase y Patricia Sinay.

El Comité de Human Rights Watch está compuesto por Africa Watch, Americas Watch, Asia Watch, Helsinki Watch, Middle East Watch y el Fondo para la Libertad de Expresión (Fund for Free Expression).

El Comité Ejecutivo está compuesto por un presidente, Robert L. Bernstein; por un vicepresidente, Adrian W. De Wind; Roland Algrant, Lisa Anderson, Peter D. Bell, Alice L. Brown, William Carmichael, Dorothy Cullman, Irene Diamond, Jonathan Fanton, Jack Greenberg, Alice H. Henkin, Stephen L. Kass, Marina Pinto Kaufman, Jeri Laber, Aryeh Neier, Bruce Rabb, Harriet Rabb, Kenneth Roth, Orville Schell, Gary G. Sick y Robert Wedgeworth.

El Comité incluye un director ejecutivo, Aryeh Neier; un subdirector ejecutivo, Kenneth Roth; un director en Washington, Holly Burkhalter; un director en California, Ellen L. Lutz; un director de prensa, Susan Osnos; la consejera, Jemera Rone; la directora del Prision Project, Joanna Wescher; la directora del Women's Rights Project, Dorothy Q. Thomas y la asociada Allyson Collins.

Directores ejecutivos
Africa Watch: Rakiya Omaar
Americas Watch: Juan E. Méndez
Asia Watch: Sidney Jones
Helsinki Watch: Jeri Laber
Middle East Watch: Andrew Whitley
Fund for Free Expression: Gara La Marche

485 Fifth Avenue,
New York, NY 10017-6104
TEL: 212-972-8400
FAX: 212-972-0905
Email: igc: hrwatchny

1522 K Street, NW, Suite 910
Washington, DC 20005-1202
TEL: 202-371-6592
FAX: 202-371-0124
Email: igc: hrwatchdc

Reconocimientos

El presente Informe fue escrito por el director ejecutivo de Americas Watch, Juan E. Méndez. La edición estuvo a cargo de la directora asociada, Cynthia Arnson. El capítulo referente a la política de los Estados Unidos fue redactado por la asociada de investigación, Allyson Collins. Cynthia Arnson y Clifford C. Rhode contribuyeron con investigación adicional. Julia Human, interna de Americas Watch, contribuyó con la revisión de los datos. El informe se basa en dos viajes de Juan E. Méndez a Colombia en búsqueda de información, en abril y en octubre de 1991.

Agradecemos a Roberto Molina Palacios, Alejandro Valencia-Villa y Gustavo Gallón, de la Comisión Andina de Juristas-Seccional Colombiana, por sus comentarios y apoyo. Juan Tokatlian y Paulina Zuleta Jaramillo, del Centro de Estudios Internacionales de la Universidad de los Andes, también nos brindaron generosamente su tiempo y conocimientos. La comunidad de defensores de los derechos humanos contribuyó, como siempre, con análisis y documentación. Nuestro trabajo no sería posible sin el apoyo constante de nuestros colegas colombianos. Agradecemos también a Jamie Fellner, miembro del comité ejecutivo de Americas Watch.

Extendemos nuestros más sinceros agradecimientos al consejero presidencial para los Derechos Humanos, Jorge Orlando Melo, al procurador general, Carlos Gustavo Arrieta, y a sus colegas de la Procuraduría General de la Nación, a los miembros del departamento de derechos humanos de la Dirección Nacional de Instrucción Criminal y a todas aquellas personas que nos brindaron su tiempo y documentación. Por último, a los miembros del gobierno de Gaviria que se reunieron para comentar nuestras inquietudes.

***

El presente informe está dedicado a la memoria de Blanca Cecilia Valero de Durán, miembro del Comité Regional para la Defensa de los Derechos Humanos, Credhos, asesinada el 29 de enero de 1992. Su infinito coraje, así como el de los defensores de derechos humanos en Colombia, significa la mayor inspiración para nuestro trabajo.

Capítulo 1. INTRODUCCIÓN

En 1991 se llevó a cabo en Colombia un experimento de mayor apertura del sistema político con el fin de hacerlo más accesible a los grandes sectores de la sociedad que, de manera tradicional, han sido excluidos del panorama político. Son muchos los colombianos que durante largos años han estado convencidos de que dicha apertura resulta indispensable si se desea combatir el fenómeno trágico de la violencia política desde sus raíces.

La apertura política tomó diferentes formas. Una de las más importantes fue la convocatoria y elección de una Asamblea Nacional Constituyente, encargada de elaborar una nueva Carta constitucional que remplazara el viejo texto que se encontraba vigente (salvo por unas pequeñas enmiendas) desde 1886. Simultáneamente, el gobierno del presidente César Gaviria Trujillo reactivó el compromiso adquirido con el proceso de paz que se venía surtiendo desde 1989 y que incluía negociaciones directas con grupos guerrilleros de izquierda. También se tomaron otras medidas destinadas a la protección de los derechos humanos, a la prohibición de aquella legislación de emergencia que restringe las libertades individuales y a fortalecer el control civil de las fuerzas de seguridad.

Aun así, la violencia continúa. La violencia política sigue cobrando más vidas humanas en Colombia que en cualquier otro país del hemisferio, exceptuando al Perú, país que produce estadísticas muy similares. Aproximadamente 3.760 colombianos murieron a lo largo de 1991 como consecuencia de la violencia política. Como lo explicamos en el presente informe, las 3.760 muertes ocurrieron a manos de una multiplicidad de actores y dentro de una variedad de circunstancias: algunas fueron muertes "en combate", muertes de no-combatientes producidas por la guerrilla o el Ejército Colombiano, operaciones de "limpieza social" (entre cuyos objetivos se encuentran mendigos, prostitutas, drogadictos y vagabundos), así como masacres y asesinatos selectivos de adversarios políticos, cometidos por grupos paramilitares, el Ejército o la Policía colombiana[1]. Las cifras son apabullantes, especialmente si se tiene presente que durante los últimos años han mantenido un nivel constante: 4.200 en 1988; 3.200 en 1989, y 3.700 en 1990. Sin embargo, lo más alarmante es que a pesar de los esfuerzos hechos por algunos miembros del gobierno, los responsables de estos asesinatos gozan de casi total impunidad.

El presente informe busca analizar por qué las reformas, que en la superficie parecen ser tan prometedoras, no cumplen con el propósito de disminuir la violencia política. En algunos de los casos, la respuesta es clara: las iniciativas que en adelante comentamos constituyen medidas a medias que no solucionan las más importantes fuentes de impunidad. No obstante, desde un punto de vista global sería injusto calificar los cambios aquí comentados como de simple maquillaje. Al analizar el impacto de los más grandes acontecimientos ocurridos entre octubre de 1990 y marzo de 1992, queremos identificar

---

1   Vale anotar también que el total de muertes en Colombia en 1991 (según la Dirección de Policía Judicial e Investigación es de 28.284), en un país de 33 millones de habitantes, constituye uno de los índices más altos del mundo. Paralelamente, el FBI ha calculado que en Estados Unidos, un país de 249 millones de habitantes, murieron aproximadamente 23.438 personas. *Véanse Crime in the United States*, FBI, Departamento de Justicia de los Estados Unidos, Washington D.C., U.S. Government Printing Office, agosto de 1991; "Murder Was Main Cause of Death in Colombia During 1991", *Notimex*, 5 de marzo de 1992.

las limitaciones de las reformas y determinar por qué han fracasado en su intento de disminuir la violencia política. Es posible que los resultados sean evidentes tan sólo después de haber pasado un período más largo de tiempo. Si es ese el caso, Americas Watch espera que en un futuro próximo, los colombianos podrán lograr un nivel más alto de respeto a los derechos humanos.

Capítulo 2. La violencia política

A. Cifras de las muertes

Actualmente, los asesinatos y los homicidios con fines exclusivamente políticos continúan siendo en Colombia el más grave problema de violación a los derechos humanos. Los blancos principales de estos asesinatos continúan siendo los miembros de los partidos políticos de izquierda, los sospechosos de simpatizar con la guerrilla —como los miembros de sindicatos—, los civiles atrapados en las zonas de conflicto, las víctimas de la "limpieza social" así como otros miembros de la sociedad civil, tales como los defensores de derechos humanos y los miembros de la Rama Judicial[2]. Muchas de las demás víctimas de la violencia política se encuentran entre los combatientes de la guerrilla y de las fuerzas militares. Además, la violencia enmarcada dentro de determinadas circunstancias políticas ha mantenido el alto nivel de los últimos cuatro años: para 1991, los defensores colombianos de derechos humanos recopilaron un total de 3.760 muertes[3]. Con un promedio de 3.500 muertes políticas desde 1988, son ya 14.000 los colom-

---

2　Los educadores también han sido atacados. La Federación Colombiana de Educadores, Fecode, informó el año pasado que entre enero de 1991 y el 20 de enero de 1992, por lo menos 57 profesores habían sido asesinados. Algunos de ellos habían recibido amenazas antes de su muerte. Comisión Andina de Juristas-Seccional Colombiana, CAJ-SC, carta a Americas Watch, 29 de enero de 1992.

3　Centro de Investigación y Educación Popular, Cinep, carta a Americas Watch, 10 de marzo de 1992. *Véanse* también, Cinep, Instituto Colombiano de Servicios Legales Alternativos, ILSA, *Colombia-Hoy Informa*, *Actualidad Colombiana*, No. 98, diciembre de 1991-enero de 1992, p. 6; y Comisión Intercongregacional de Justicia y Paz, *Boletín Informativo*, Vol. 4, No. 4, octubre-diciembre de 1991, pp. 118-127.

bianos que han perecido durante los últimos cuatro años por motivos políticos.

Por lo general se ha asumido que las cifras comenzaron a aumentar en 1988, como consecuencia del fracaso de las negociaciones de paz que habían sido iniciadas durante la presidencia de Belisario Betancur (1982-1986)[4]. No obstante, el récord de 4.200 muertes a lo largo de 1988 también coincide con el surgimiento de las masacres perpetradas por los grupos paramilitares, que entonces contaban con un importante apoyo de parte de los miembros del Cartel de Medellín[5]. El índice de las grandes masacres realizadas por los grupos paramilitares disminuyó en 1990 y continuó descendiendo a lo largo de 1991[6]. A pesar de ello, las matanzas menos espectaculares, de cinco a siete víctimas en forma simultánea, continuaron a lo largo de 1991.

Los asesinatos selectivos de los miembros de los partidos políticos de izquierda mantuvieron altos índices. La Unión Patriótica, UP, que mantiene vínculos estrechos con el Partido Comunista y es simpatizante de las Fuerzas Armadas Revolucionarias de Colombia, FARC, le informó a la comisión de Americas Watch que tan solo en el primer trimestre de 1991

4   En 1990 se comenzó bajo el gobierno de César Gaviria un nuevo esfuerzo de negociación.

5   Los grupos paramilitares constan de unidades de ataque diseñadas para identificar y eliminar a oponentes políticos, que presumiblemente puedan significar peligro para los intereses establecidos. Inicialmente organizados por grandes terratenientes y, más recientemente, por los narcotraficantes, los paramilitares actúan como los ejércitos privados de sus patrocinadores. Además, subsisten con la complicidad de las fuerzas gubernamentales que, cuando menos, se hacen los de la "vista gorda" o cuando más, participan de manera directa en la violencia. *Véase* Americas Watch, *The "Drug War" in Colombia: the Neglected Tragedy of Political Violence*, New York, Human Rights Watch, octubre de 1990, pp. 9-10; o la traducción de Paulina Zuleta, coedición del Centro de Estudios Internacionales de la Universidad de los Andes y el Instituto de Estudios Políticos y Relaciones Internacionales de la Universidad Nacional de Colombia, *La "guerra" contra las drogas: la olvidada tragedia de la violencia política*, Bogotá, abril de 1991.

6   Existe una notable excepción en la masacre descrita posteriormente, de veinte indígenas paeces en Caloto, departamento del Cauca.

cincuenta y dos de sus miembros habían sido asesinados y otros catorce se encontraban "desaparecidos". A finales de 1991, 110 miembros de la UP habían sido asesinados o desaparecidos[7]. Durante muchos años, la UP ha sido escogida como blanco de los ataques. Desde que fue creada como consecuencia de la iniciativa de paz de Belisario Betancur, a comienzos de los años ochenta, la UP ha mantenido su estatus de partido político legítimo. Además del asesinato de sus candidatos presidenciales en 1987 y 1990, así como de otros de sus más importantes líderes, por lo menos 846 de sus miembros han sido asesinados o desaparecidos desde que el partido político fue fundado[8].

Jaime Pardo Leal, el primer candidato presidencial de la UP, fue asesinado en una carretera cercana a Bogotá en octubre de 1987. Su muerte fue atribuida al Cartel de Medellín que en ese entonces había ya unido sus fuerzas con las de las organizaciones paramilitares, con el fin de exterminar los grupos de izquierda en el país. En marzo de 1990, el siguiente candidato presidencial de la UP, Bernardo Jaramillo Ossa, fue asesinado por un sicario de quince años en el aeropuerto Eldorado de Bogotá[9].

---

7   Comisión Intercongregacional de Justicia y Paz, *Boletín Informativo*, p. 126.

8   Guido Bonilla, *Violencia contra la Unión Patriótica: un crimen de lesa humanidad*, Centro de Estudios e Investigaciones Sociales, CEIS, Bogotá, 1990; Comisión Intercongregacional de Justicia y Paz, *Boletín Informativo* (varios números) y Cinep, *Cien días vistos por Cinep* (suplemento trimestral de *El Espectador*, varios números).
    El estudio de Bonilla cita 614 asesinatos y 36 desapariciones ocurridos entre 1985 y diciembre de 1989, así como 88 casos adicionales de detención arbitraria, tortura, amenazas o tentativas de homicidio. Las estadísticas del Cinep y Justicia y Paz adicionan 196 asesinatos y desapariciones ocurridos entre enero de 1990 y octubre de 1991. Para este último período, las estadísticas de la UP son superiores, como lo demuestra la entrevista que presentamos en el presente Informe.

9   Para más detalles de estos asesinatos, *véase* "Así fue el asesinato de Pardo", *Semana*, No. 285, octubre 20-26 de 1987, pp. 22-29; Americas Watch, *Informe sobre derechos humanos en Colombia*, traducción de Liliana Obregón, coedición del Centro de Estudios Internacionales de la Universidad de los Andes y el Instituto de Estudios Políticos y Relaciones Internacionales de la Universidad Nacional de Colombia, octubre de 1989, pp. 43-44 y Americas Watch, *La "guerra" contra las drogas...*, pp. 74-76.

El gobierno acusó al asesino de Jaramillo, Andrés Arturo Gutiérrez Maya, de haber actuado bajo las órdenes de Pablo Escobar, líder del Cartel de Medellín, pero las pruebas no fueron suficientemente sólidas[10]. Detenido como menor infractor según las leyes colombianas, a Gutiérrez le permitieron salir del centro de detención en noviembre de 1991 para visitar a su familia. El muchacho y su padre fueron apuñalados y asesinados a bala. Sus cuerpos fueron hallados el 2 de enero de 1992. La UP denunció la decisión del juez de permitir la salida de Gutiérrez en una carta al entonces ministro de Justicia, Fernando Carrillo Flórez, argumentando que estando libre el muchacho era un blanco fácil para cualquiera que quisiera callarlo acerca de quién había ordenado el asesinato de Jaramillo[11].

Carlos Pizarro, el candidato presidencial de la Alianza Democrática M-19, también fue asesinado en 1990, durante el vuelo de una aerolínea comercial[12]. Nuevamente el gobierno culpó a Pablo Escobar, pero ofreció pocas pruebas que confirmaran sus acusaciones. La UP no presentó ningún candidato a las elecciones de 1990, pero la AD/M-19 lanzó a Antonio Navarro Wolf, sucesor de Pizarro[13].

En un ejemplo reciente de la violencia contra la UP, pistoleros no identificados asesinaron a Carlos Julián Vélez, diputado a la Asamblea Departamental del Meta, mientras se dirigía con su familia en un automóvil desde Mesetas hacia Naranjales en octubre de 1991. Los asaltantes le lanzaron una

10   Americas Watch, La "guerra" contra las drogas..., p. 75.
11   Adrian Croft, "Murder of Top Politician's Killers Creates Scandal in Colombia", Reuters, 5 de enero de 1992.
12   En 1990, durante el gobierno de Virgilio Barco, el movimiento guerrillero Movimiento 19 de Abril, M-19, y el gobierno llegaron a un acuerdo de paz. Los guerrilleros entregaron sus armas y recibieron el reconocimiento legal que les permitía actuar como grupo político en las elecciones siguientes. Después del asesinato de Jaramillo en 1990, Pizarro ayudó a fundar una coalición de doce grupos de izquierda, bajo el nombre de Alianza Democrática M-19, AD/M-19.
13   Americas Watch, La "guerra" contra las drogas..., pp. 74-79.

granada a su vehículo y luego le dispararon con un fusil R-15 y pistolas 9 mm; posteriormente abrieron fuego sobre su familia y mataron a su esposa, a su hermano y a un hijo de seis años. Su hija de siete años sobrevivió al ataque. Vélez había sido herido en marzo de 1991 junto con otros dos activistas, durante un ataque a la sede de la UP en Mesetas en el que un asaltante lanzó una granada y disparó varias veces[14]. El atacante fue protegido inmediatamente por un pelotón del Ejército; los soldados lo dejaron libre y, en su lugar, detuvieron a los heridos de la UP. En febrero de 1992, Luis Augusto Orjuela Pérez, otro miembro de la UP de Mesetas, fue asesinado en circunstancias que sugieren la complicidad de agentes gubernamentales[15]. Muchas otras personas simpatizantes con grupos de izquierda o partidos políticos de izquierda han muerto, así como muchos que no son políticamente activos, pero vivían en una de las muchas zonas conflictivas del país.

Las tristes estadísticas de violencia política incluyen algunas categorías que no se le pueden adjudicar al gobierno colombiano. Aproximadamente 1.362 de los muertos en 1991 eran guerrilleros o soldados muertos en combate. La cifra es tomada de los informes de prensa, pero debe mirarse como sospechosa debido a que incluye a muchos civiles muertos por el Ejército, pero que éste reclama como guerrilleros muertos en combate. Los principales grupos guerrilleros, las Fuerzas Armadas Revolucionarias de Colombia, FARC, y el Ejército de Liberación Nacional, ELN, continúan activos y también son responsables de muchos asesinatos de civiles, como lo describimos en el Capítulo 3. Existen además 389 víctimas de las operaciones de "limpieza social" dirigidas a los mendigos, los cartoneros, los drogadictos, los raponeros y las prostitutas. Es-

---

14   Comisión Intercongregacional de Justicia y Paz, *Boletín Informativo*, Vol. 4, No. 3, julio-septiembre de 1991, p. 81.

15   Asociación Nacional de Ayuda Solidaria, Andas, "La comunidad internacional está en mora de censurar al gobierno del presidente Gaviria como responsable de los crímenes políticos en Mesetas", 24 de febrero de 1992.

tos asesinatos han sido clasificados como de violencia política, porque se asume generalmente que son llevados a cabo por agentes de la Policía que actúan en escuadrones de la muerte o por asesinos que disfrutan de la protección de la Policía. Aproximadamente 1.829 colombianos murieron en lo que los defensores de derechos humanos denominan circunstancias "políticas o presumiblemente políticas". De ellos, 560 fueron asesinatos puramente políticos; los 1.269 restantes incluyen muertes en circunstancias que sugieren un móvil político, bien sea por el *modus operandi* de los asesinos, por la identidad de las víctimas, o por haber sucedido en zonas de alta concentración de grupos paramilitares o guerrilleros. Los responsables de estos asesinatos se encuentran entre los grupos paramilitares que gozan de protección del Ejército, el propio Ejército y la Policía, y la guerrilla. También se presentaron 180 desapariciones, por lo general atribuibles a fuerzas estatales[16].

Son muchos los factores que contribuyen a los elevados índices de violencia política, pero no existe duda de que los agentes estatales son directamente responsables de muchos de los asesinatos o están al menos involucrados por encubrir a los asesinos. Pero es más preocupante aún que la mayoría de estos crímenes quedan impunes a pesar de existir pruebas acerca de los responsables. Más adelante analizaremos algunos casos excepcionales a este fenómeno y explicaremos su alcance.

A pesar de que la cifra global de muertes se ha mantenido relativamente constante, no ha ocurrido lo mismo con la proporción de muertes en cada categoría. En 1991, el número de personas asesinadas por grupos paramilitares no fue tan elevado como en 1988. Sin embargo muchos observadores, incluyendo miembros del gobierno, coinciden en que el fenómeno paramilitar ha aumentado de nuevo en comparación con 1989

---

16   Cinep, carta a Americas Watch; y CAJ-SC, carta a los embajadores extranjeros, diciembre de 1991, donde se citan estadísticas de la Comisión Intercongregacional de Justicia y Paz.

y 1990. También parece claro que el número de muertes a manos de las FARC y el ELN se incrementó, como también aumentaron los muertos en combate para ambas partes del conflicto. Tanto las FARC como el ELN intensificaron su actividad militar a lo largo del año, como parte de una "ofensiva" generalizada anunciada públicamente, fenómeno que explica no solamente que haya crecido el número de muertos por la guerrilla, sino el resurgimiento de la violencia de los grupos paramilitares, dedicados a vengarse de cualquier civil por los ataques guerrilleros bien sean reales o temidos.

B. El fenómeno paramilitar

Los defensores colombianos de las organizaciones no-gubernamentales coinciden en que hubo una reducción significativa de la violencia política en una de las categorías: los asesinatos atribuibles al Cartel de Medellín. Como lo anotamos en nuestros dos informes anteriores, el Cartel comandaba grandes contingentes de asesinos a sueldo (más conocidos como sicarios), ejércitos privados y matones, todos ellos empleados para solucionar los conflictos clásicos del narcotráfico. Además, el Cartel patrocinó durante varios años a los grupos paramilitares y a las autodefensas en las zonas rurales y, en especial, en aquellas en las cuales los narcos habían invertido su dinero en la compra de grandes extensiones de tierra. Con la inyección de los enormes recursos del narcotráfico los grupos paramilitares aumentaron la violencia política hasta llegar a las cifras registradas a finales de los años ochenta y atacando a importantes jueces y políticos. Fue a raíz del asesinato del precandidato liberal Luis Carlos Galán en agosto de 1989, que el gobierno de Virgilio Barco (1986-1990) le declaró la "guerra" a las drogas, con el apoyo entusiasmado de la administración Bush.

Entre septiembre de 1989 y comienzos de 1991 los líderes del Cartel de Medellín emplearon todo su poderío en una campaña de exterminio, dirigida a la Policía en general y a la de

Medellín y sus alrededores en particular. Como lo explicamos más adelante en el presente informe, el gobierno de Gaviria cambió la estrategia a finales de 1990 y ofreció una reducción de penas y la no-extradición para los narcotraficantes que se entregaran voluntariamente a las autoridades colombianas. Una serie de narcotraficantes aceptó el ofrecimiento del gobierno incluyendo a Pablo Escobar, el más notorio líder, quien se entregó en el mes de junio. La consecuencia, según la determinan algunos observadores, es que ha disminuido el índice de muertes atribuible a los líderes del Cartel.

C. SUBSISTENCIA DE LA VIOLENCIA PARAMILITAR

El alejamiento aparente del Cartel de Medellín ha disminuido la violencia paramilitar, pero no la ha terminado. Los grupos paramilitares más notorios que han recibido dinero, entrenamiento y armas del Cartel de Medellín aún no han desaparecido y, por el contrario, continúan atemorizando a las comunidades rurales en muchas zonas del país.

Cuando el gobierno colombiano declaró la "guerra" contra las drogas en 1989 empleó en su mayoría al Cuerpo Élite de la Policía Nacional, una unidad especializada que había sido creada a comienzos del año, para combatir a los grupos paramilitares y capturar a sus líderes. Cuando el objetivo se desvió de los grupos paramilitares hacia la cúpula del Cartel de Medellín, los grupos paramilitares más conocidos decidieron buscar un acercamiento con el gobierno. Fueron varias las estrategias que intentaron, desde la creación de un partido político radicado en la región del Magdalena Medio y llamado Movimiento de Restauración Nacional, Morena, hasta un intento de negociaciones directas, similares a aquellas que se habían desarrollado con la guerrilla. En últimas, los grupos paramilitares buscaban legitimidad mediante el distanciamiento de sus anteriores patrocinadores del narcotráfico, llegando inclusive a suministrar información sobre ellos al

Cuerpo Élite y al Departamento Administrativo de Seguridad, DAS[17].

Henry de Jesús Pérez, líder de la Asociación de Campesinos y Ganaderos del Magdalena Medio, Acdegam, uno de los grupos paramilitares más notorios, rompió públicamente relaciones con Pablo Escobar a comienzos de 1991[18]. La ruptura entre Pérez y Escobar se produjo después de la muerte de José Gonzalo Rodríguez Gacha, alias "El Mexicano", en diciembre de 1989, presumiblemente a manos del Cuerpo Élite. Escobar le informó a Acdegam en 1990, cuando ya huía, que no le suministraría más asistencia económica y le entregó una lista de los terratenientes "secuestrables". Ya para finales de 1990, el Cuerpo Élite usaba la hacienda Nápoles de propiedad de Escobar, como su sede en el Magdalena Medio, y a pesar de que Pérez era solicitado por varios jueces por su participación en las peores masacres de los años ochenta, en

17 El DAS es un cuerpo investigativo de la Rama Ejecutiva del Poder Público, subordinado al presidente de la República. Bajo la jefatura del general Miguel Alfredo Maza Márquez, quien sirvió en los gobiernos de Barco y de Gaviria, el DAS llevó a cabo investigaciones serias acerca de los grupos paramilitares, con el fin de romper su estructura y evitar que hiciesen "justicia privada". Maza Márquez condujo después la batalla contra el Cartel de Medellín, cuyos líderes intentaron asesinarlo por lo menos en dos ocasiones. Como lo explicamos en el presente Informe, Maza Márquez fue remplazado por Fernando Britto, un civil que con anterioridad había sido asesor jurídico del presidente Gaviria.

18 Acdegam es una agremiación y autodefensa con su base principal en Puerto Boyacá que surgió de la unión de los grandes terratenientes de la región, quienes decidieron agruparse para exterminar la presencia de las FARC en la zona. Su creación y desarrollo contó con el apoyo del Ejército, que le suministró armamento al grupo. Cuando José Gonzalo Rodríguez Gacha, un líder del Cartel de Medellín, invirtió su dinero en la región, tanto Acdegam como otros grupos paramilitares locales cayeron bajo su influencia debido a que Rodríguez Gacha les había dado dinero, sofisticadas armas y les había brindado más personal y entrenamiento. Además, los grupos continuaron gozando del apoyo de los jefes militares regionales, quienes suministraron datos de inteligencia acerca de los pobladores considerados "subversivos", apoyaron las acciones de los grupos en las diferentes localidades y les garantizaron la impunidad de sus actos.

1991 todavía dirigía su grupo y daba declaraciones públicas en Puerto Boyacá[19].

Parece ser que la colaboración de Pérez para intentar la captura de Escobar fue negociada a cambio de que le dejasen eludir la justicia. Poco después de una entrevista concedida a los medios de comunicación el 9 de julio de 1991, su padre Gonzalo Pérez fue asesinado a bala por un conocido suyo, en un episodio sospechoso a pesar de que se disimuló como un accidente. Henry Pérez fue asesinado once días después y sus hermanos, Marcelo y Heriberto, fueron asesinados el 12 de septiembre de 1991. El coronel Luis Arsenio Bohórquez Montoya, su protector de vieja data dentro de las Fuerzas Militares, también murió asesinado de manera violenta en Bogotá en junio de 1991. Bohórquez ejercía como comandante regional en el Magdalena Medio, cuando el presidente Virgilio Barco lo llamó a calificar servicios como parte de la estrategia diseñada para combatir a los grupos paramilitares[20]. Luis Meneses, más conocido como "Ariel Otero", quien actuaba como sucesor de Pérez en Acdegam, también fue asesinado en enero de 1992 cerca de Puerto Boyacá[21].

19   "El enemigo de Escobar", *Semana*, 16 de abril de 1991, pp. 14-22. Para ese entonces, tanto él como su padre Gonzalo, su hermano Marcelo y otro grupo de civiles, eran solicitados por varios jueces de Orden Público. En junio fueron condenados como reos ausentes por el delito de concierto para delinquir, por su participación en las masacres de las haciendas bananeras Honduras y La Negra, ocurridas en la región de Urabá a comienzos de 1988.

20   *Véase* Americas Watch, "Colombian Government Adopts Measures to Combat Paramilitary Death Squads", *News from Americas Watch*, No. 5, julio de 1989.

21   Pocos días antes de su muerte, Meneses había negado acusaciones presumiblemente formuladas por el Cartel de Medellín, en las cuales se afirmaba que le había prestado sus servicios al Cartel de Cali y había suministrado la información que le permitió a la policía ubicar a Gonzalo Rodríguez Gacha, dirigente del Cartel de Medellín. *Véanse* EFE, "Ariel Otero Denies Cali Cartel Links", en *Foreign Broadcast Information Service*, 13 de enero de 1992, p. 43; y *Reuters*, "Leader of Colombian Private Army, Enemy of Ecobar is Killed", 10 de enero de 1992.

Los asesinatos de estas figuras sobresalientes dentro del movimiento paramilitar continúan sin resolverse. Durante la elaboración del presente Informe surgió otro asesinato de un miembro de Acdegam: el cuerpo mutilado de Gustavo Londoño Castillo, alcalde de Puerto Boyacá, apareció en el río Magdalena el 31 de marzo de 1992, después de una aparente reactivación del grupo. Los informes de la policía le atribuyen su muerte a las pugnas internas del grupo de "autodefensa"[22].

Las versiones policivas atribuyeron la muerte de Henry Pérez a Pablo Escobar, como una venganza de Escobar por la información que Pérez había suministrado al DAS y al Cuerpo Élite. Hasta el momento no existe una explicación de cómo logró Escobar ordenar el asesinato desde su celda.

Los vínculos entre los asesinatos de la familia Pérez, del coronel Bohórquez y de un dirigente paramilitar en Caucasia, Antioquia, permiten un análisis diferente. La rapidez de las muertes de los Pérez y del coronel Bohórquez permitieron concluir rápidamente que se trataba o de una pugna interna en Acdegam o de algunos miembros del Ejército que decidieron eliminarlos por saber demasiado acerca de su participación en los grupos paramilitares. La muerte de Meneses, "Ariel Otero", por su parte, puede estar relacionada con el hecho de que él había entregado una gran porción de su armamento en noviembre a cambio de inmunidad. Aparentemente, Meneses tomó su decisión en contra de la voluntad de los demás miembros de la organización paramilitar.

A pesar de que jamás existieron diálogos directos entre el gobierno y los paramilitares, tanto Meneses como otros miembros de la organización se beneficiaron de la legislación de rebaja de penas promulgada por el presidente Gaviria en 1990 y 1991 para lograr la entrega de los narcotraficantes[23]. Setenta

---

22   "Mayor's Mutilated Body Found in River", *Notimex*, 2 de abril de 1992.
23   Los decretos de estado de sitio Nos. 2047, 2147, 2372, 3030 de 1990 y decreto 303 de 1991 ofrecían rebaja de penas y la no extradición para quienes se entregaran de manera voluntaria y confesaran un delito.

y dos miembros de los diferentes grupos se acogieron en diciembre y entregaron varios fusiles, ametralladoras, granadas y el resto de su arsenal que consideraban "ilegal". Todos confesaron el delito de porte ilegal de armas y obtuvieron libertad bajo fianza, pero anunciaron que mantendrían aquellas armas que consideraban "legales"[24]. Los dirigentes de estas asociaciones de "autodefensas" han insistido en que el Ejército les suministró armas de conformidad con la legislación de 1968 que autorizaba la formación de grupos de autodefensa[25].

Los decretos que el presidente Barco promulgó en 1989 fueron el resultado de los poderes extraordinarios de estado de sitio. Por tal razón, suspendían pero no derogaban la legislación anterior[26]; también prohibían la distribución de armas por parte del Ejército. Sin embargo, los decretos no hacían referencia alguna a las armas que ya estaban en poder de los diferentes grupos. Según las leyes colombianas, el porte de las armas es ilegal a menos que se obtenga el salvoconducto respectivo de las autoridades militares o de policía. Es necesario solucionar la ambigüedad jurídica creada en torno a estas armas, si se desea avanzar aún más en la solución del problema paramilitar[27].

El gobierno debe además revisar el que los paramilitares se beneficien de los decretos de sometimiento de los narcotraficantes a la justicia. Es posible que los decretos 2047, 2147,

---

24 Cinep *et al.*, *Actualidad Colombiana*, No. 47, Bogotá, Nov. 27- Dic. 10, 1991.

25 Americas Watch, *La "guerra" contra las drogas...*, *ibíd.*, pp. 23-27.

26 La Constitución promulgada en 1991 no menciona autorización alguna para crear grupos de autodefensa.

27 El 28 de diciembre de 1991, el presidente Gaviria lanzó la Estrategia Nacional contra la Violencia. En ella, se reconoce que uno de los factores que más contribuyen a la violencia colombiana es el armamentismo ilegal reinante y el gobierno señala algunas medidas investigativas y de interdicción para solucionar el número de armas que son portadas de manera ilegal. Las medidas delineadas por la Estrategia deben ser aplicadas de manera rigurosa y las armas deben ser retiradas de las manos de los paramilitares.

2372, 3030 y 303 hayan sido redactados de una forma tan amplia que permitan incluir a los miembros de los grupos paramilitares. En tal caso, el gobierno se verá obligado a otorgarle rebaja de penas a cada sindicado que confiese un delito.

A pesar de ello, no debe haber ningún obstáculo para que estos individuos sean procesados por otros delitos, si existen pruebas suficientes en su contra. El gobierno de Gaviria debería hacer un esfuerzo de buena fe para investigar los crímenes en que están involucrados los paramilitares y procesarlos, especialmente por las masacres, los asesinatos selectivos y las desapariciones. Sería una burla a la legislación de 1990 y 1991 el que los paramilitares que han atemorizado el campo colombiano se entregaran y confesaran delitos menores, pero pudieran eludir la justicia por crímenes más graves y así permanecer activos.

Fidel Castaño, un terrateniente adinerado de Córdoba, ha sido desde hace varios años uno de los dirigentes más conocidos de los grupos paramilitares[28]. Sus escuadrones de asesinos han estado vinculados a varias de las masacres más notorias, relatadas por Americas Watch en sus informes anteriores[29]. Casta-

---

28   Castaño, a quien le gusta que lo denominen "Rambo", presumiblemente hizo su fortuna en la compraventa de esmeraldas y posteriormente adquirió extensiones grandes de tierra en el departamento de Córdoba. Su padre y hermanos han muerto a lo largo de los años, combatiendo a los guerrilleros de las FARC. Aparentemente, su organización paramilitar comenzó como un grupo de autodefensa bajo la legislación de 1968, a diferencia de otros grupos que pretenden escudarse en dichas leyes para reclamar legitimidad. Castaño asegura no estar vinculado al narcotráfico desde comienzos de los años ochenta, a pesar de que en un comienzo su participación fue clara. Al igual que Pérez en Acdegam, Castaño ha intentado distanciarse del Cartel de Medellín, pero no ha hecho públicas sus diferencias. Inclusive se presume que durante los meses anteriores a su entrega, Escobar se encontraba recluido al nordeste de Antioquia cerca del Magdalena Medio, donde estaba siendo protegido por guardias de Castaño.

29   *Véanse* Americas Watch, *Informe sobre derechos humanos en Colombia*, para una descripción del papel de Castaño en la masacre de 39 personas en La Mejor Esquina en 1988; y *La "guerra" contra las drogas...*, pp. 40-41, para una descripción de la participación de Castaño en la muerte de 42 campesinos en Pueblo Bello.

ño ha sido mencionado como uno de los autores intelectuales de la masacre de Segovia de 1988 y por la masacre ocurrida en la vereda de La Mejor Esquina, también ocurrida en 1988. En enero de 1990, 42 campesinos de Pueblo Bello, en la región bananera de Urabá, fueron retenidos por un grupo paramilitar denominado "Los Tangueros" y sacados del municipio en dos camiones. Unos días despúes el significado del nombre del grupo cobró relevancia cuando los cadáveres de algunos de los campesinos aparecieron en Las Tangas, una finca de propiedad de Fidel Castaño. Castaño fue condenado como reo ausente el 17 de julio de 1991 por el delito de concierto para delinquir, por su participación en las masacres de Urabá de 1988, y sentenciado a 20 años de prisión. En el mismo proceso fue absuelto del delito de homicidio con fines terroristas.

Junto con Pablo Escobar y otros narcotraficantes, Castaño ha sido uno de los "criminales más perseguidos" en Colombia, por su participación en varios delitos atroces. A pesar de ello, ha entrado y salido del país en varias oportunidades y hecho apariciones públicas en Córdoba (su zona de influencia) y en el nordeste antioqueño (incluyendo Urabá). Además creó y patrocina una fundación por la pacificación de Córdoba, Funpazcor, y ha donado varios terrenos a los campesinos de la región. La mayoría de las familias que se benefician de sus donaciones están encabezadas por miembros de sus escuadrones de la muerte. Sin embargo, Castaño ha intentado presentar sus donaciones como una contribución hacia la pacificación de Córdoba.

También ha logrado vincular a la Iglesia local para canalizar sus donaciones, en un esfuerzo por obtener reconocimiento y legitimidad. Una de sus haciendas, La Pasionaria, fue donada para los Hogares Juveniles Campesinos, una organización vinculada a la Arquidiócesis de Medellín. Además ha contribuido a las campañas electorales de algunos de sus rivales de varios años, como los guerrilleros desmovilizados del EPL que hicieron campaña electoral para el Congreso de la mano de la Alianza Democrática M-19.

Si toda esta actividad no le ha brindado a Castaño la legitimidad que busca, por lo menos parece haberlo protegido de la administración de justicia. Americas Watch entrevistó a algunas personas que se reunieron con Castaño en sus tierras en Córdoba, quienes informan que algunos policías en servicio activo en Montería, la capital de Córdoba, están a cargo de la seguridad personal de Castaño. Su condena en el caso de Urabá así como varias otras órdenes de captura no se han hecho efectivas[30]. Según algunos testigos presenciales, Castaño aparece públicamente en Montería en los eventos destinados a resaltar sus donaciones y demás filantropías, en presencia de dirigentes militares, cívicos y de la Iglesia.

Presumiblemente, Castaño también era el patrocinador de Muerte a Revolucionarios del Nordeste Antioqueño, MRN, una organización paramilitar que se atribuyó la masacre de 43 personas en el municipio de Segovia, el 11 de noviembre de 1988[31]. Fuentes de alta credibilidad nos informan que en 1991, el MRN estaba básicamente inactivo. Sin embargo, parece haber sido remplazado por otro grupo que se autodenomina "Los Blancos". Es probable que el grupo tome su nombre del mayor Bernardo José Blanco Pineda, quien era el comandante del Batallón Bomboná ubicado en las afueras de Segovia cuando ocurrió la masacre. Unas semanas antes de la matanza, Blanco amenazó a las autoridades civiles de izquierda en Segovia, anunciando que serían un objetivo del MRN. Blanco se retiró del Ejército en 1989, pero parece haber sido visto recientemente en Segovia.

"Los Blancos" han establecido su presencia en Segovia y operan cerca de las instalaciones del Ejército y la Policía. Paran a los campesinos de veredas cercanas, les piden identifi-

---

30 Su apoyo en la comandancia, Juan Vanegas, presumiblemente se entregó a las autoridades en noviembre de 1990 y solicitó el beneficio de rebaja de pena ofrecido en el decreto 3030. Vanegas fue el primero en acoger la oferta del gobierno y aún permanece detenido.

31 Americas Watch, *Informe sobre derechos humanos en Colombia*, pp. 59-62.

cación y, para asegurarse de que no están colaborando con la
guerrilla, miden y pesan el arroz y demás enseres que adquieren en el mercado de Segovia. Algunos vecinos también han
informado que el capitán de la Policía Henry Bernal Hernández, quien fue condenado por permanecer quieto mientras los
pobladores de Segovia estaban siendo masacrados por los paramilitares, escapó de la cárcel de Apartadó y ha sido visto de
nuevo en Segovia. Debido a su pasividad —o su participación— en la masacre de Segovia, los campesinos consideran su
presencia como una amenaza contra sus vidas.

Jorge Torres y Julio Daniel Chaparro, dos periodistas de
El Espectador, fueron asesinados en Segovia el 24 de abril de
1991 mientras intentaban verificar el estatus del proceso por
la masacre de 1988. Chaparro de 29 años, casado y padre de
dos niños, había publicado un libro de poesía y varios artículos
sobre violencia política. Torres de 39 años, casado y padre también de dos niños, era un fotógrafo que había ganado un premio en 1983 por su cubrimiento de la violencia[32].

Los testigos presenciales de la masacre de Segovia de 1988
han logrado la identificación de algunos de los asesinos por
medio de fotografías; aparentemente pertenecen a una banda
denominada "Los Yeyos", cuya ayuda se presume fue contra-
tada por el MRN. Algunos de los miembros de la banda fueron
vistos en el municipio pocos días antes de la masacre, inspec-
cionando la zona en compañía del dirigente del Partido Liberal
Sigifredo García. El triunfo de Rita Tobón, de la Unión Patriótica, sobre García en las elecciones para la Alcaldía pareció
precipitar la masacre. Algunos de los miembros de "Los Yeyos"
también han sido vistos en Segovia como miembros de "Los
Blancos"[33]. Desde nuestro último Informe en octubre de 1990,

32 "Otros dos mártires de *El Espectador*", *El Espectador*, 25 de abril de
    1991.
33 "El municipio de Segovia, condenado a la impunidad", *El Espectador*, 4
    de mayo de 1991.

el proceso judicial por la masacre de Segovia no ha tenido ningún progreso[34].

El más antiguo grupo paramilitar es Muerte a Secuestradores, MAS, cuya creación a comienzos de los años ochenta pareció responder al secuestro de un miembro de la familia Ochoa, a manos del entonces grupo guerrillero M-19[35]. Los narcotraficantes han estado involucrados desde el comienzo en la creación de los grupos paramilitares, pero también han contribuido otros hombres ricos y poderosos entregando armamento y personal. Los militares contribuyeron con armamento, asistencia en operaciones de inteligencia y propaganda entre los campesinos. El MAS continúa operando en el Magdalena Medio, especialmente en las regiones petrolíferas de Barrancabermeja y Sabana de Torres; también ejerce un control estricto en las regiones de El Carmen y San Vicente de Chucurí, a poca distancia de Barrancabermeja. Los miembros del MAS se autodenominan "Los Masetos", cuyo nombre se deriva de las siglas de la organización. Isidro Carreño, hijo del fundador (del mismo nombre) y un notorio líder del MAS al sur de Barrancabermeja, murió mientras desactivaba una mina. En 1991, y quizás como parte de los asesinatos de los líderes de Acdegam, fue asesinado Alejandro Echandía, jefe de comunicaciones del MAS. A pesar de los decretos de 1989, el MAS continúa disfrutando del apoyo del Ejército, que ha dejado claro a la población campesina

---

34 Americas Watch, La "guerra" contra las drogas..., pp. 123-124.
35 El informe presentado por Americas Watch para Colombia en julio de 1983, The "MAS Case" in Colombia: Taking on the Death Squads, describe la investigación hecha por el entonces procurador general de la Nación, Carlos Jiménez Gómez, la cual resultó en procesos contra cincuenta y nueve oficiales del Ejército. El entonces teniente coronel Alvaro Hernán Velandia Hurtado era el más alto oficial de los que fueron acusados por Jiménez Gómez. Como coronel estuvo después a cargo del Batallón de Inteligencia y Contra-Inteligencia Charry Solano, en el cual se cometían, según un delator, homicidios y desapariciones. Velandia se encuentra preparándose para su promoción a brigadier general.

que si no se unen al MAS serán considerados como "proguerrilla"[36].

Otros grupos paramilitares también continúan operando en las diferentes regiones del país. En la Sierra Nevada de Santa Marta, por ejemplo, existe una organización denominada Fundeca, especialmente activa en la región de Copey, departamento del Cesar, y similar a Acdegam en su aparente apoyo a los cultivadores y campesinos. Fundeca actúa con la colaboración de las autoridades militares de la región, como en el caso del asesinato de los tres indígenas Arhuacos en diciembre de 1990, el cual comentaremos más adelante con mayor detalle. En el Putumayo, cerca de la frontera con Ecuador, "Los Masetos" también han hecho presencia. Allí atacan a los campesinos que consideran base social de la guerrilla, con la colaboración de las fuerzas de seguridad y la financiación de los narcotraficantes. En el departamento de Boyacá y en los Llanos Orientales (departamento del Meta) se reputa que el grupo paramilitar dirigido por Víctor Carranza, un traficante de drogas y esmeraldas, es el contingente armado más grande del país. En ambos lugares los paramilitares hacen rondas, detienen viajeros y les revisan sus pertenencias en busca de indicios de colaboración con la guerrilla. En 1990, fueron encontrados unos cementerios clandestinos cerca de Puerto López y San Martín, en los Llanos Orientales, en los cuales se presume haber encontrado los restos de algunas víctimas de estos grupos. No ha sido posible hacer una identificación certera de los cadáveres, debido al peligro que conlleva una tarea semejante.

En el Valle del Cauca también ha aumentado la violencia en los últimos años, como consecuencia de la creciente influencia de la célula del ELN que opera allí. Los narcotraficantes pertenecientes al Cartel de Cali, algunos terratenientes y miembros del Ejército se han unido ya para promocionar es-

---

36   El MAS ha operado a lo largo de los años bajo un mínimo de veinte
      nombres diferentes. *Véase* Comisión Andina de Juristas-Seccional Co-
      lombiana, CAJ-SC, "Estudio sobre Derechos Humanos en el Magdalena
      Medio y el nordeste antioqueño", Bogotá, 1991, p. 9 (mimeo).

cuadrones de la muerte[37]. También se ha visto un aumento en la cantidad de laboratorios de cocaína en la región, lo cual atrae a trabajadores de otras zonas del país. Es posible que los trabajadores después sean asesinados por los narcotraficantes, como una medida para evitar que delaten la ubicación de sus laboratorios, fenómeno que bien puede explicar la cantidad de cadáveres sin identificación que han sido encontrados. La mayoría de las desapariciones ocurridas en la zona continúan sin ser denunciadas.

D. Estatus de algunos casos importantes

Los basuriegos de Barranquilla

El 1o. de marzo de 1992 se descubrió un tráfico ilegal de cadáveres y partes anatómicas, en el que parecen estar involucrados los guardias de la Universidad Libre en Barranquilla, quienes aparentemente asesinaban a indigentes con el fin de vender sus cuerpos a la facultad de medicina. Un sobreviviente de un ataque a unos diez cartoneros permitió el descubrimiento por la Policía de once cadáveres en los predios de la Universidad Libre de Barranquilla. Los cadáveres presentaban señales de haber sido fuertemente golpeados. Óscar Hernández, el único sobreviviente, informó a la policía que los guardias de la universidad lo convencieron a él y a por lo menos diez basuriegos más, para que buscaran cartón disponible cerca de la facultad de medicina. Una vez allí, Hernández fue golpeado y recibió disparos en la cabeza. Sus atacantes lo creyeron muerto, lo desnudaron y lo dejaron sobre una bandeja para cadáveres[38]. Hernández escapó y alertó a la Policía.

---

37 La zona tiene un enorme historial de violencia en Colombia. En los años cincuenta, los campesinos (conocidos como "Pájaros") se dejaban contratar para pelear de parte de los "caudillos". *Véase* Darío Betancur y Marta L. García, *Matones y cuadrilleros*, Bogotá, Iepri-Tercer Mundo Editores, 1991.

38 Adrian Croft, "Colombians Killed 30 to Sell to Medical School, Police Suspects" *Reuters*, 2 de marzo de 1992.

Mientras se concluía el presente Informe, los investigadores habían identificado a once de los individuos asesinados a golpes o a bala y habían encontrado los restos de otras doce a veinte personas[39]. A comienzos de abril, algunos de los administradores y guardias de la universidad continuaban detenidos. Uno de ellos, Pedro Viloria, jefe de seguridad de la universidad, intentó suicidarse poco después de que fueron encontrados los restos humanos; Viloria le manifestó a la Policía que había estado comprometido en ataques a cincuenta personas, pero que él no los había ordenado[40]. Además, se presume que los dos miembros de la Policía, que actualmente son investigados por la justicia penal militar, también suministraron cadáveres a la universidad[41]. Tanto la declaración de Viloria como la de Santander Sabalza Estrada (jefe del anfiteatro de la universidad y quien también se encuentra detenido), así como otras pruebas en el sumario, indican que las personas involucradas traficaban con cadáveres desde hacía aproximadamente dos años[42].

La naturaleza mórbida y escalofriante de este crimen ha estimulado los esfuerzos civiles y oficiales para investigar el caso y juzgar a los responsables. El ministro de Justicia ordenó la creación de un equipo especial de jueces para la investigación, y citó a un consejo extraordinario del Consejo Nacional de la Policía Judicial con altos miembros del gobier-

---

39 Adrian Croft, "Colombia Orders Indefinite Closure of School Disecting Room", *Reuters*, 4 de marzo de 1992; "Colombia Shuts Down School in Body-Purchase Case", *The New York Times*, 12 de marzo de 1992.

40 "Colombian Says He Killed 50 to Supply School with Bodies", *The Los Angeles Times*, 6 de marzo de 1992.

41 CAJ-SC, Carta a Americas Watch, 6 de abril de 1992.

42 Otras de las pruebas son: cuatro balas encontradas en tres de los cadáveres habían sido disparadas con el arma de un solo guardia; las heridas en otros dos basuriegos corresponden a la misma arma que fue empleada contra los once indigentes muertos; unos restos humanos encontrados pertenecían a un carpintero desaparecido desde 1990, cuyo cuerpo fue utilizado por los estudiantes de medicina en 1991.

no, para dedicarse al caso[43]. Además, se nombró una comisión especial de decanos de las diferentes facultades de medicina del país para investigar lo ocurrido en la Universidad Libre[44]. El presidente de la Universidad también fue llamado a declarar. Mientras tanto, el gobierno cerró la facultad de medicina y retiró de sus cargos a varios de los directivos de la universidad[45*].

La celeridad con la cual el gobierno respondió es prometedora y brinda perspectivas de que se haga justicia. A pesar de que este caso es particularmente aterrador, no es menos horripilante que los cientos de casos de "limpieza social" de gamines, mendigos, drogadictos, prostitutas e indigentes que ocurren todos los años en Colombia[46]. Americas Watch le implora al gobierno colombiano que emplee este caso como ejemplo de cómo se deben investigar y sancionar crímenes similares.

43   "Gobierno asume la investigación", *El Tiempo*, 7 de marzo de 1992.
44   "Nombrada comisión del Icfes para la Libre", *El Espectador*, 5 de marzo de 1992.
45   *Ibíd.*
*   Nota del traductor: En julio de 1992, el Icfes autorizó de nuevo la apertura de matrículas a la facultad de medicina de la Universidad Libre de Barranquilla.
46   Por ejemplo, vale la pena considerar la matanza de los hermanos Santiago, Germán y Manuel Hernández Buitrago en Zipaquirá, departamento de Cundinamarca, en la cual hubo una clara participación de la Policía. Santiago, de 17 años de edad, fue asesinado por un sicario en mayo de 1988 después de haber recibido amenazas de muerte del sargento Marín de la Policía, poco después de haber obtenido la libertad de un centro penitenciario donde estuvo recluido, acusado de un crimen común; Germán, también de 17 años, fue detenido por la Policía Nacional en agosto de 1990 y su cuerpo mutilado apareció pocos días después en las afueras del municipio; Manuel, de 22 años, fue asesinado el 22 de noviembre de 1991, pocos días después de haber sido arrestado por la Policía (amenazando a su padre para que lo esposara y lo condujera a la estación), la cual lo amenazó de muerte. Rafael, el cuarto de los hermanos, estaba recibiendo amenazas similares de parte de la Policía; los observadores de los derechos humanos en Colombia han insistido en la necesidad de protegerlo. CAJ-SC, carta a Americas Watch, 3 de febrero de 1992.

Urabá

Como mencionamos anteriormente, tanto Henry de Jesús Pérez como Fidel Castaño fueron condenados *in absentia* por sus respectivas participaciones en las masacres de las haciendas bananeras Honduras y La Negra el 4 de marzo de 1988 y en Punta Coquitos el 11 de abril de 1988. La decisión fue tomada por el juez 103 de Orden Público en Bogotá y firmada por un "juez sin rostro" (*véase* el Capítulo 5). Los dirigentes del grupo, Ricardo Rayo y Mario Zuluaga, que asesinaron a los trabajadores de la finca, fueron condenados a treinta años de cárcel por los delitos de terrorismo y homicidio con fines terroristas. Rayo está pagando su pena en la Cárcel Modelo en Bogotá. Víctor Hugo Martínez Barragán y Mario Usuaga Gómez fueron condenados a veinte años de prisión como autores materiales de homicidio con fines terroristas. Por su parte, Víctor Suárez Sánchez recibió una condena de veintidós años de prisión por homicidio con fines terroristas y porte ilegal de armas.

Además de Pérez y Castaño, los siguientes hombres fueron hallados culpables del delito de concierto para delinquir y absueltos de homicidio con fines terroristas: Luis Alfredo Rubio, exalcalde de Puerto Boyacá; Marcelo y Gonzalo Pérez; Adán y Reinel Rojas; y Hernán Giraldo Serna. Todos ellos recibieron una condena de veinte años de prisión. A Pablo Escobar se le había absuelto el 4 de marzo de 1989 en este mismo proceso. La decisión fue posteriormente anulada en febrero de 1992 por el Tribunal Nacional (antes Tribunal de Orden Público) que sostuvo que, debido a la ausencia de una investigación exhaustiva acerca de la participación de Escobar, no podía ser absuelto de la responsabilidad como autor intelectual de la masacre. En junio de 1989 fueron absueltos César Cure Demoya, quien actualmente paga una condena en los Estados Unidos, Ismael Quintero Ramos y el capitán de la policía Marco Fidel Mendieta Sierra, exjefe de la policía en Puerto Boyacá. Por su parte, la Procuraduría General de la Nación encontró a Mendieta culpable en un proceso disciplinario y ordenó su retiro de la Policía[47]. También inició pliego de cargos contra tres miembros del Ejército[48].

Los oficiales del Ejército que participaron en la masacre de Urabá están siendo juzgados aparte por los jueces penales militares. En un principio el juez de Orden Público había acusado al mayor Luis Felipe Becerra Bohórquez, al subteniente Pedro Vicente Bermúdez Lozano y a los cabos Félix Antonio Ochoa Ruiz y José Ricardo Lagos Arango, todos ellos pertenecientes al Batallón Voltígeros. Sus órdenes de captura fueron confirmadas por el Tribunal de Orden Público. Sin embargo, los jueces militares reclamaron la competencia para procesar a los cuatro soldados. El 29 de mayo de 1991, un Tribunal Disciplinario resolvió el caso y se lo asignó a la Décima Brigada Aérea del Ejército, con base en El Bagre, Antioquia[49]. El Tribunal consideró que como los oficiales estaban obligados a prevenir la masacre, su comportamiento constituía un "acto del servicio". Como consecuencia, el proceso debe ser comenzado de nuevo ante la justicia militar, a pesar de que las condenas contra los civiles quedan en firme. La Procuraduría ha asignado un agente especial para la vigilancia del proceso ante la justicia militar.

El mayor Becerra, el más alto oficial acusado, ha debido ser detenido, según las órdenes correspondientes de captura

---

47   La Procuraduría General de la Nación, encabezada por el procurador general, es un despacho gubernamental independiente que vigila y sanciona las acciones de los empleados oficiales e inicia pliegos de cargos disciplinarios en su contra. También conocida como el Ministerio Público, consta de varias divisiones incluyendo una Procuraduría Delegada para los Derechos Humanos, encargada de investigar las denuncias de masacres, desapariciones y torturas.

La Procuraduría actualmente puede imponer las sanciones que considere idóneas (Arts. 277-278 de la CN de 1991), siendo la destitución la máxima pena. También puede oficiar las pruebas que obtenga a los jueces en cuyo poder se encuentren los diferentes procesos. *Véase* la Sección G del presente Capítulo.

48   Clemencia Gómez, Consejería Presidencial para los Derechos Humanos, carta a Americas Watch, 2 de marzo de 1992.

49   *Véase* el Capítulo 5 para más discusión acerca de la colisión de competencias entre los jueces civiles y militares.

emitidas por el juez de Orden Público y confirmadas por el
Tribunal de Orden Público, entre el 31 de agosto de 1988 y el
7 de diciembre de 1989 y de nuevo el 17 de agosto de 1990. A
pesar de ello y mientras debería estar detenido, Becerra fue
ascendido a teniente coronel, atendió un curso especial para
oficiales en los Estados Unidos y actualmente presta sus servicios en el Departamento de Relaciones Públicas (E-5) de la
Comandancia General del Ejército. Bermúdez fue ascendido a
capitán y Ochoa y Lagos también lo fueron a sargentos.

La acusación inicial contra los cuatro se basa en que secuestraron a Olga Lucía Restrepo Correa, supuesto miembro
del EPL, y la obligaron a identificar a otros colaboradores del
EPL ubicados en las fincas. También patrullaron dichas fincas
acompañados de varios civiles armados, preparando la masacre; el mayor Becerra empleó su tarjeta de crédito para cance-
lar la cuenta correspondiente al alojamiento en un hotel de
Medellín, de los civiles que efectuaron la masacre[50].

Resulta increíble que dada la participación activa del
mayor Becerra y de sus subordinados, el Tribunal Disciplinario haya calificado su actuación como "acto del servicio"
por no evitar que la masacre ocurriera. Los actos preparati-
vos tales como el señalamiento de los objetivos, la vigilancia
conjunta con los civiles y el pago de sus gastos constituyen,
en nuestra opinión, elementos esenciales del delito, sin los
cuales no se hubiera podido perfeccionar. Denominar dichos
actos como "actos del servicio" es un sofisma de distracción que
permite a los jueces militares asumir la competencia y le brinda a los militares la posibilidad de eludir la justicia por crímenes más graves*.

---

50   *El Tiempo*, 29 de mayo de 1991 y 19 de junio de 1991; *El Espectador*, 30
     de mayo de 1991; CAJ-SC, carta a Americas Watch, 27 de diciembre de
     1991.

*   Nota del traductor: En agosto de 1992, la Procuraduría Delegada para
     las Fuerzas Militares ordenó la destitución del coronel Becerra, el capi-
     tán Bermúdez y el sargento Ochoa.

Sabana de Torres

Con el proceso por el asesinato del alcalde de Sabana de Torres el 16 de agosto de 1987, ha ocurrido una atrocidad semejante en materia de administración de justicia. Uno de los asesinos del alcalde murió en el enfrentamiento con sus guardaespaldas. En ese momento se pudo establecer que tanto el arma como una identificación oficial que portaba el asesino muerto habían sido suministradas por el mayor Óscar Echandía Sánchez y el capitán Luis Orlando Ardila Orjuela, pertenecientes al Batallón Ricaurte. En el proceso disciplinario seguido ante la Procuraduría ambos oficiales fueron hallados responsables de los actos preparatorios y fue ordenada su destitución. El Ejército destituyó a Ardila en "forma absoluta" pero ordenó el retiro de Echandía "en forma simbólica" porque supuestamente ya se encontraba en retiro. En el proceso penal que se les siguió en los juzgados de la V Brigada del Ejército, los oficiales fueron absueltos el 3 de octubre de 1989. Dicho proceso fue archivado[51].

Segovia

En contraste con el caso de Urabá, en el caso de la masacre de 1988 en Segovia la Corte Suprema de Justicia decidió a favor de la justicia civil, al resolver acerca de una colisión de competencias. El teniente coronel Alejandro Londoño, comandante del Batallón Bomboná y otros oficiales del Ejército y la Policía fueron vinculados por quienes estuvieron a cargo de la investigación preliminar a los actos preparatorios de la masacre, y al aseguramiento de su impunidad. A pesar de que la justicia penal militar intentó arrebatarle el proceso a la justicia civil, la Corte Suprema de Justicia conceptuó que, cuando

---

51   Consejería Presidencial para los Derechos Humanos, "Estado de Investigación sobre Casos" (mimeo), 19 de abril de 1991.

hay militares involucrados en el delito de terrorismo, la competencia la adquieren los jueces de Orden Público por la naturaleza del delito en lugar de los jueces penales militares por la naturaleza del autor[52]. A partir de abril de 1991, todos los sindicados se encontraban detenidos y los militares estaban presuntamente recluidos en unidades militares. Desafortunadamente, el proceso penal correspondiente a la masacre no ha progresado desde nuestro último Informe en octubre de 1990[53]. En marzo de 1992, la Procuraduría Delegada para las Fuerzas Militares consideró dentro del proceso disciplinario que Londoño y Hernández habían estado involucrados en los actos preparatorios de la masacre. Además, debido a los buenos antecedentes de los oficiales, consideró procedente una simple suspensión temporal[54]. Sin embargo, el nombramiento del teniente coronel Hernando Navas Rubio como director nacional de Prisiones, arduamente criticado por los defensores nacionales de derechos humanos, cuestiona la credibilidad de la investigación sobre el caso. Navas Rubio era comandante de la unidad de inteligencia (B-2) de la XIV Brigada del Ejército cuando sucedió la masacre de Segovia y 'ha sido vinculado al proceso como un posible autor intelectual[55]. Además, Navas

52 La Corte Suprema de Justicia también ha dicho que, en casos de colisión de competencias entre los jueces de Orden Público y los jueces penales militares, la justicia penal militar no puede ser empleada como mecanismo para proteger a quienes han cometido violaciones a los derechos humanos. Sin embargo, el Tribunal Disciplinario ha asumido la posición de que quienes han cometido violaciones a los derechos humanos en servicio activo deben ser juzgados por los jueces penales militares.
Hasta 1990, cuando el Tribunal Disciplinario asumió la función, la Corte Suprema de Justicia fallaba en última instancia las colisiones de competencia. Bajo la Constitución de 1991, el Tribunal Disciplinario fue disuelto y la facultad de fallar sobre asuntos jurisdiccionales le fue asignada al Consejo Superior de la Judicatura.

53 Americas Watch, La "guerra" contra las drogas..., pp. 123-124.

54 El Espectador, 3 de marzo de 1992.

55 Liga Internacional por los Derechos y la Liberación de los Pueblos-Seccional Colombiana, El camino de la niebla: masacres en Colombia y su impunidad, Vol. III, Bogotá, 1990.

Rubio también está vinculado a varias violaciones serias a los derechos humanos, desde 1986[56][*].

Cimitarra

La investigación del Juzgado 8o. de Instrucción Criminal y de la Seccional de Orden Público en Cúcuta, por el asesinato de Sylvia Margarita Duzán Sáenz y tres líderes de la Asociación de Trabajadores y Campesinos del Carare, ATCC, el 26 de febrero de 1990, ha logrado identificar a Alejandro Ardila y Óscar Hermógenes Mosquera, miembros de grupos paramilitares, como los autores del crimen[57]. Hasta el momento, ninguno de los dos se encuentra detenido[58].

Asesinato de dirigentes sindicales

El presidente del sindicato de los trabajadores de Indupalma, una compañía procesadora de palma africana en el Magdalena Medio, fue asesinado el 19 de abril de 1991, cuando Americas Watch estaba en su misión en Colombia. José Manuel Madrid Bayona aparentemente fue secuestrado y su cuerpo fue hallado en las afueras de San Alberto, departamento del Cesar.

---

56   Asociación de Familiares de Detenidos Desaparecidos, Colectivo de Abogados "José Alvear Restrepo", Comisión Andina de Juristas-Seccional Colombiana, Comité Permanente por la Defensa de los Derechos Humanos, Comité de Solidaridad con los Presos Políticos, Instituto Latinoamericano de Servicios Legales Alternativos, Liga Internacional por los Derechos y la Liberación de los Pueblos-Seccional Colombiana, carta abierta, 31 de enero de 1992.

  *   Nota del traductor: Navas Rubio fue destituido como director nacional de Prisiones tras la fuga de Pablo Escobar Gaviria de la cárcel de Envigado en julio de 1992.

57   Americas Watch, *La "guerra" contra las drogas...*, p. 41.

58   Jorge Orlando Melo, consejero presidencial para los Derechos Humanos, carta a Americas Watch, 12 de agosto de 1991.

Hasta el momento, la investigación ha consistido en recibir los testimonios de la esposa de Madrid y otros dos dirigentes sindicales que estaban con él ese día. No se ha identificado a los responsables, pero se sospecha de la autoría de los paramilitares[59]. El sindicato de Indupalma ha sido blanco de ataques anteriores: por lo menos veinte activistas fueron asesinados en varios ataques entre febrero de 1988 y finales de 1990. Muchos miembros de sus respectivas familias también resultaron heridos en estos ataques[60].

El sindicato de los trabajadores de la industria petrolera, la Unión Sindical Obrera, USO, también ha estado bajo constantes ataques. La sede principal de la USO es Barrancabermeja. En 1988, nueve de sus miembros fueron asesinados. Uno de ellos, Manuel Gustavo Chacón, tesorero de la USO, fue asesinado por un suboficial de la Armada que posteriormente fue procesado y condenado a veintidós años de cárcel; uno de sus cómplices también fue juzgado. El testigo que logró la identificación del asesino fue asesinado después en Bogotá, adonde se había trasladado para evitar las represalias. Tres miembros más de la USO fueron asesinados en 1989, incluyendo al vicepresidente, Hamet Consuegra, quien fue asesinado por un miembro del F-2 conocido bajo el nombre de "Cúcuta". Éste le disparó a Consuegra desde un vehículo antimotines. En 1990, cuatro miembros más de la USO fueron asesinados. A comienzos de 1991, la USO estaba en negociación colectiva con Ecopetrol, una empresa industrial y comercial del Estado, y Barrancabermeja estaba tensa. El 8 de marzo de 1991, un desconocido lanzó una granada a un edificio público y mató a Rafael Anaya y a Walter Pedraza, activistas de la USO. Once días después, dos pistoleros no identificados asesinaron a José Hernández, antiguo dirigente de la USO y miembro en ese entonces del Comité Regional para los Derechos Humanos,

---

59   *Ibíd.*
60   CAJ-SC, "Estudio sobre Derechos Humanos en el Magdalena Medio...", pp. 60-61.

Credhos[61]. Con excepción del caso Chacón, ninguno de los asesinatos ha sido aclarado.

En otros lugares del Magdalena Medio, el sindicalismo ha sido por lo menos igual de peligroso. Al menos veintinueve miembros del sindicato de los trabajadores de la industria del cemento en Puerto Nare, departamento de Antioquia, han sido asesinados entre 1986 y 1991, por un grupo paramilitar con base en esa ciudad y que disfruta del apoyo de políticos locales, narcotraficantes y miembros del Ejército[62].

E. Asesinatos selectivos, desapariciones y tortura

En la presente sección, describimos violaciones más significativas a los derechos humanos que parecen indicar, además, una responsabilidad directa de miembros de los organismos de seguridad. También analizamos los esfuerzos hechos para aclarar los crímenes.

Gildardo Antonio Gómez

El señor Gómez, un comerciante de Yondó, Antioquia (al frente de Barrancabermeja por el río Magdalena), fue detenido el 27 de agosto de 1991, mientras conducía su motocicleta junto con un empleado. Fueron arrestados por el teniente del ejército Norberto Londoño Acevedo y dos soldados, todos ellos pertenecientes al Batallón Antiaéreo Nueva Granada, mientras se dirigían a San Luis Beltrán para conseguir madera. Después los condujeron a una casa abandonada, donde los interrogaron acerca de sus supuestas conexiones con la guerrilla. Al empleado lo amenazaron constantemente y lo estimularon para

---

61 *Ibíd.*
62 *Ibíd.*, pp. 100-104.

que acusara a Gómez, y luego lo dejaron atado y amordazado entre unos arbustos. Logró escapar y dirigirse a Barrancabermeja, donde hizo la denuncia ante la Procuraduría Regional y el Comité Regional para los Derechos Humanos, Credhos. El cadáver de Gómez fue hallado el 6 de septiembre de 1991, en el interior de una bolsa plástica, por un equipo de la Procuraduría que había salido en su busca. La cara y las manos habían sido quemadas y el cuello, acuchillado; tenía señas de tortura en las muñecas y los tobillos, y heridas de fusil en el abdomen. El Juzgado 24 Penal Militar con sede en Barrancabermeja emitió una orden de captura contra el sargento Londoño y los soldados José Pereira Bautista y Jesús Pinzón Ochoa, quienes se encuentran detenidos[63]. En este caso, la investigación fue posible gracias a que la familia Gómez y los defensores locales de derechos humanos presentaron el caso en Bogotá, donde la Consejería Presidencial para los Derechos Humanos, el Ministerio de Gobierno y la Procuraduría suministraron ayuda.

Fusagasugá

El 18 de agosto de 1991, el Ejército asesinó a cinco miembros de la familia Palacios y a dos hombres más en la casa de los Palacios, en Fusagasugá, Cundinamarca, cerca de Bogotá. Un grupo de quince hombres ingresó a la casa en las horas de la mañana, obligó a las víctimas a acostarse bocabajo y las asesinó inmediatamente. Los atacantes le perdonaron la vida a una mujer anciana y a dos niños de pocos meses de edad. Las víctimas fueron Antonio Palacios Urrea, de 65 años, activista de la UP y dirigente comunitario que trabajaba en proyectos de vivienda; su hijo Camilo, de 25 años, quien estaba a punto de hacer su ingreso a la universidad; su hija Yaneth, madre de un niño de 3 meses de edad; Blanca Emilia, de 18 años y estu-

---

63   Comisión Intercongregacional de Justicia y Paz, *Boletín Informativo*, Vol. 4, No. 3, julio-septiembre de 1991, p. 79.

diante de bachillerato; y Rodrigo Barrera Vanegas, esposo de Yaneth. Otros dos hombres sin identificar fueron también asesinados allí; aparentemente fueron conducidos a la casa por un contingente del Ejército.

Esa misma tarde, el Ejército emitió un comunicado de prensa en el cual afirmó que las siete víctimas eran miembros de una célula de las FARC, y que habían muerto cuando intentaron resistirse a un operativo que buscaba su detención. El comunicado también afirmaba que, según inteligencia militar, la casa era usada por los guerrilleros heridos de las FARC mientras se recuperaban de sus heridas de combate.

María Belarmina Romero de Palacios, la viuda de Antonio Palacios, le dijo a los medios de comunicación que su esposo e hijos habían sido asesinados en estado de indefensión. También atestiguó para el proceso iniciado en la Procuraduría. El 19 de septiembre de 1991, el Juzgado 115 Penal Militar expidió órdenes de captura contra ocho miembros del Ejército. Ese mismo día fueron enviados a la Escuela de Artillería. Los acusados son el teniente Tomás Cruz Amaya, el teniente segundo William Ramírez Mora, así como los cabos Arnulfo Aguilar Ayala, John Rivera Gómez, Óscar Gómez Ochoa, Álvaro Ayala Rodríguez, Florentino Camacho Barón y Jaime Roa González, todos ellos en servicio activo en la Escuela de Artillería de la XIII Brigada del Ejército y sindicados de homicidio agravado[64]. A pesar de que el homicidio agravado es un delito grave, nos sorprende que no se haya aplicado la legislación antiterrorista en un caso tan claro. El 27 de octubre de 1991, la Procuraduría inició pliego de cargos contra un subteniente y un sargento segundo por su papel en la conducción del operativo. Los cargos fueron inmediatamente controvertidos por sus apoderados, quienes argumentaron que la Procuraduría no tenía la facultad de iniciarlos[65].

---

64 "Detienen a 8 militares", *El Tiempo*, 20 de septiembre de 1991; transcripción del testimonio de Belarmina Romero de Palacios (suministrado a Americas Watch por el Colectivo de Abogados "José Alvear Restrepo").
65 Clemencia Gómez A., carta a Americas Watch.

Además del apresurado comunicado de prensa el día de la matanza, el Ejército insistió en una versión notoriamente falsa. Al día siguiente, el general Jesús María Vergara Aragón, comandante de la XIII Brigada, repitió la versión de un enfrentamiento armado. Además, el comunicado de prensa identificó a uno de los hombres asesinados en el interior de la casa de la familia Palacios como Alexánder Roberto Gómez, alias "Jorge" y afirmó que habían encontrado varias armas, municiones, equipos médicos y uniformes en el lugar del operativo[66]. La Procuraduría también decidió investigar los esfuerzos de desinformación del general Vergara; se han iniciado pliegos de cargos disciplinarios contra el capitán Jairo Alonso Olarte y el teniente coronel Bernal Castaño de la misma brigada, a quienes se les acusa de haber suministrado información errónea al general Vergara, a los investigadores y a la Procuraduría[67]. Estos dos oficiales también rechazaron los cargos el 19 de diciembre de 1991, pero la Procuraduría continúa el caso[68].

La familia Palacios contrató los servicios de Eduardo Umaña Mendoza, un conocido abogado de derechos humanos, para que los representara. Intentó constituirse en parte civil dentro del proceso, pero el juzgado penal militar lo rechazó. La señora de Palacios y el abogado Umaña también intentaron participar en forma activa en la reconstrucción de la matanza e insistieron en la necesidad de brindar protección a los testigos. Como consecuencia de sus esfuerzos, tanto la señora de Palacios como Eduardo Umaña recibieron amenazas telefónicas y escritas de muerte. El gobierno le ofreció protección a Umaña; salió del país unos días y, a su regreso, las amenazas continuaron.

La matanza de Fusagasugá ocurrió inmediatamente después de que Rafael Pardo había sido nombrado ministro de

66   "XIII Brigada dice que muertos de Fusagasugá sí eran guerrilleros", *La Prensa*, 20 de agosto de 1991.
67   "Procuraduría vinculó otros dos militares a masacre de Fusagasugá", *La Prensa*, 10 de enero de 1992.
68   Clemencia Gómez, carta a Americas Watch.

Defensa —el primer civil que ocupaba ese cargo desde 1952—. A pesar de que resulta estimulante ver la enérgica actitud asumida durante sus primeros días de ministro contra los militares responsables, la actitud de las Fuerzas Armadas en el caso de Fusagasugá resulta inaceptable. Los miembros del Ejército que han sido acusados y quienes tienen un rango relativamente bajo, han desafiado abiertamente los esfuerzos de la Procuraduría; y a pesar de que la Procuraduría se ha mantenido incólumne, aún falta ver si habrá una verdadera investigación que revele quién emitió las órdenes y quién encubrió el crimen. Mientras tanto, resulta apenas justo mencionar que a pesar de sus limitaciones, tanto el caso Gómez como el de Fusagasugá demuestran un gran contraste con la impunidad generalizada que ha caracterizado otros casos similares a lo largo de varios años.

Los Uvos

El 7 de abril de 1991, diecisiete personas que viajaban en un bus intermunicipal en el departamento del Cauca fueron retenidas en la carretera por un grupo de hombres armados, en Los Uvos, municipio de Bolívar. Todos ellos fueron asesinados en el acto y el bus fue incendiado. Como es costumbre, las autoridades militares y de policía locales acusaron a los grupos guerrilleros que operan en la zona. El teniente coronel Pablo Briceño Lovera, jefe del Batallón José Hilario López con sede en Popayán, y el coronel de la Policía Uriel Salazar Jaramillo, jefe de la Policía del Cauca, dieron declaraciones en ese sentido. El coronel Briceño también amenazó a los grupos cívicos locales. Cuando la Procuraduría anunció en enero de 1992 que abriría pliego de cargos contra los oficiales por la masacre, el coronel Briceño insistió en su versión.

La Coordinadora Nacional de Derechos Humanos, Damnificados y Refugiados de Colombia, Conadhegs, una organización no-gubernamental que monitorea varias zonas del país, envió un equipo investigativo a la zona e informó que una uni-

dad del Ejército con base en Piedra Sentada había cometido la
masacre, con la posible asistencia de un grupo paramilitar que
opera en Los Uvos. Conadhegs asegura que entrevistó a un
testigo presencial de la masacre, cuya identidad se ha reser-
vado; que además, el Ejército patrulló la zona el día anterior;
que los cadáveres tenían heridas hechas con munición calibre
7.62, de uso exclusivo de las Fuerzas Militares; y, finalmente,
que un soldado que se encontraba presente cuando las autoridades locales examinaron los cadáveres amenazó a los familiares de las víctimas afirmando que "habían sido asesinados
por ser colaboradores de la guerrilla". La identidad de las víctimas también parece señalar como autores al Ejército o a un
grupo paramilitar a su servicio: una de las víctimas era miembro del grupo de izquierda Juventud Trabajadora de Colombia; otra era un maestro de escuela; y los demás eran dirigentes políticos que estaban planeando una manifestación para
junio de 1991. Además, tres de las víctimas pertenecían a la
familia Prieto, cuya casa había sido allanada dos años antes
por el Ejército y quienes habían estado constantemente amenazados por una organización paramilitar en Los Uvos[69].
Cuando Americas Watch solicitó información del consejero
presidencial para los Derechos Humanos, éste respondió que
la investigación inicial la había llevado a cabo el Cuerpo Técnico de la Policía Judicial con sede en El Bordo, Cauca, pero
que los familiares de las víctimas y los vecinos no habían querido brindar un apoyo que condujera a la identidad de los responsables. Actualmente el caso está en manos de la Unidad
Investigativa de Orden Público de la Policía Nacional con sede
en Popayán, y hasta el momento no se ha identificado a ningún
sospechoso[70].

---

69   Conadhegs, "La masacre de Los Uvos (Cauca)... otro crimen de Estado"
      (mimeo), 23 de abril de 1991; entrevista de Americas Watch a los inves-
      tigadores de Conadhegs, Bogotá, 19 de abril de 1991.
70   Jorge Orlando Melo, carta a Americas Watch, 12 de agosto de 1991.

Álvaro Moreno Moreno

Este estudiante de ingeniería de 29 años de edad fue detenido en Bogotá el 3 de enero de 1991, presumiblemente por miembros de la policía que adelantaban operativos antiterroristas. Al padre de Moreno, un exmiembro de la policía, le informaron (y luego le negaron) que su hijo se encontraba detenido en una estación de policía. Al día siguiente, apareció un cadáver sin identificación en Tocancipá, departamento de Cundinamarca, con varias heridas producidas con arma de fuego. El cuerpo fue hurtado el 5 de enero para evitar su identificación, a pesar de que ya se había hecho una muestra decadactilar y había sido enviada a un juez en Zipaquirá. Un juez de Chocontá halló de nuevo el cadáver el 18 de enero y procedió a darle debida sepultura. El 4 de febrero de 1991, el resultado de la prueba decadactilar hecha por la Dirección Nacional de Instrucción Criminal, DNIC, y que intentaba comprobar la identidad de los dos cuerpos, demostró que el cadáver hallado en Tocancipá correspondía a Álvaro Moreno Moreno. Además, los familiares de Moreno Moreno identificaron el cadáver hallado en Chocontá y se demostró que era el mismo que había sido robado en Tocancipá. Un juez de instrucción criminal ambulante asumió el caso en 1991, pero no se ha hecho ninguna sindicación formal. Parece ser que la falta de comunicación adecuada entre los jueces rurales y la policía significó una pérdida preciosa de tiempo en la identificación del cadáver y de los asesinos [*].

Como consecuencia de este caso, la DNIC ha comenzado a hacer un gran esfuerzo por obtener información acerca de aquellas personas que se encuentran desaparecidas y a contrastarla lo más pronto posible con la identidad de los cadáveres no iden-

---

[*]   Nota del traductor: En agosto de 1992, la Procuraduría Delegada para la Policía Judicial dictó pliego de cargos contra cinco miembros de la Sijin en Bogotá: el jefe coronel Luis Enrique Bohórquez Pinzón; el subjefe mayor Norberto Castaño Patiño; el jefe del grupo de inteligencia, teniente Samuel Castrillón Santana; el jefe de operaciones Óscar Jacinto Mariño Romero y el sargento Leonel Adolfo Morales.

tificados, que en muchas oportunidades son enterrados en fosas comunes como "NN" en diferentes partes del país[71].

Los músicos de Barranquilla

Walter Mejía Villanueva, César Antonio Echandía Meléndez, Jaime Muñoz Galvis, Rodrigo Cuadrado Martínez y Víctor Afanador fueron asesinados en Barranquilla el 2 de febrero de 1991, aparentemente por miembros de la policía y por hombres vestidos de civil que portaban armas automáticas. El juez 4o. de Instrucción Criminal examinó los cadáveres y afirmó que tenían señales de tortura y su identidad fue establecida por unos forenses especializados enviados desde Bogotá. El caso se encuentra aún en la etapa investigativa y está a cargo del juez 12o. de Instrucción Criminal quien ha señalado a dos miembros de la policía como los posibles responsables de la matanza.

Fernando Lalinde Lalinde

En nuestro informe de 1990[72] mencionamos el caso del asesinato de Fernando Lalinde Lalinde, para resaltar que la Comisión Interamericana de Derechos Humanos de la Organización de Estados Americanos, OEA, había hallado a Colombia responsable de la violación de sus obligaciones internacionales de derechos humanos[73]. Ahora sabemos que en 1987 la Procuraduría había iniciado procesos disciplinarios contra el capitán Jairo Enrique Piñeros Segura, los tenientes segundo Jai-

---

71   Ibíd., y entrevistas de Americas Watch con Jorge Orlando Melo, en Bogotá, abril y octubre de 1991. Algunas organizaciones no-gubernamentales colombianas y el respetado Equipo Argentino de Antropología Forense estaban colaborando en el esfuerzo del gobierno colombiano.

72   Americas Watch, La "guerra" contra las drogas..., ibíd., p. 129.

73   La Comisión consideró que Colombia había violado el artículo 4o. (derecho a la vida) de la Convención Interamericana de Derechos Humanos y otros artículos.

me Andrés Tejada y Samuel Jaimes, y contra el cabo segundo Medardo Espinoza. En 1988, dos de los oficiales fueron detenidos, pero la decisión fue posteriormente revocada. En 1989, la Procuraduría Delegada para las Fuerzas Militares le negó a la madre de Lalinde la petición de tener acceso al expediente[74]. El caso ha continuado, porque la Comisión recomendó al gobierno que investigara y sancionara a los responsables. Sin embargo, solamente ha sucedido que el Juzgado 3o. de Instrucción Criminal en Andes (Antioquia) ha iniciado una nueva averiguación y que el 13 de julio de 1990 sometió el caso al Juzgado 121 Penal Militar en Quindío, al interior de la VIII Brigada del Ejército. La Procuraduría, por su parte, designó un "procurador visitante" para que mirara el expediente del proceso militar. El 16 de mayo de 1991 se informó que el caso aún continuaba; el juez militar informó que todavía faltaban algunos testimonios e inspecciones judiciales[75]. Parece ser que es muy poco el esfuerzo que se ha hecho por aclarar un caso que ya tiene más de siete años*.

Los indígenas arhuacos

Luis Napoleón Torres, Ángel María Torres y Antonio Hueges Chaparro eran líderes de la comunidad arhuaca de la Sierra Nevada de Santa Marta. El 5 de diciembre de 1990 fueron obligados por un contingente del Ejército a descender de un bus en Curumaní (departamento del Cesar) mientras viajaban hacia Bogotá para una reunión con el gobierno; un miembro

---

74 Consejería Presidencial para los Derechos Humanos, "Estado de Investigación...", p. 12.
75 Melo, carta a Americas Watch.
* Nota del traductor: En la segunda semana del mes de abril y la tercera del mes de mayo de 1992, se llevó a cabo la diligencia de exhumación de los restos, dentro del proceso que adelanta el juez 121 de Instrucción Penal Militar, con sede en Armenia (Quindío), por la desaparición de Fernando Lalinde Lalinde. Se espera la identificación del cadáver por parte del Cuerpo Técnico de la Policía Judicial.

del gobierno encargado de asuntos indígenas los había despedido en la estación del bus. Varios días después, y en vista de la falta de noticias acerca de la suerte de sus compañeros, la comunidad arhuaca comenzó a averiguar lo sucedido y supo que el conductor del bus había informado del secuestro a la policía media hora después de sucedido.

Los cuerpos de los tres indígenas aparecieron el 20 de diciembre de 1990 en Bosconia, a unos 60 kilómetros del lugar de la retención. Las autoridades locales habían procedido a enterrar los cadáveres de los indígenas sin antes averiguar si su desaparición había sido denunciada. Parece ser que el Ejército los entregó a un grupo paramilitar que opera en la región, por orden de un familiar de un terrateniente secuestrado por las FARC. Este grupo opera en una extensión de tierra que incluye la reserva de los Arhuacos y tanto el Ejército como los paramilitares creen que los indígenas les colaboran.

Otros dos indígenas fueron capturados por el Ejército y dejados en libertad a los pocos días, por presuntos vínculos con el secuestro del terrateniente. Los indígenas informaron que fueron interrogados con métodos de tortura acerca de los tres dirigentes desaparecidos y que habían oído a sus captores decir que el Ejército los tenía. El Ejército reconoció la captura e interrogatorio de estos dos indígenas.

Una amplia investigación fue iniciada con la colaboración de varias autoridades judiciales y administrativas. El Juzgado 65 Ambulatorio sindicó al encargado de asuntos indígenas para el gobierno local del departamento del Cesar, Alberto Uribe Oñate (quien ha estado detenido por otros delitos), por haber informado cuál era el bus que los indígenas habían tomado. El juzgado también emitió orden de captura contra Eduardo Enrique Mattos Liñán, hermano del terrateniente secuestrado por las FARC. Hasta finales de 1991, Mattos no había sido detenido, a pesar de que se le veía en público en Barranquilla y Valledupar.

La investigación judicial apoyada por el DAS pronto condujo a altos oficiales del ejército. El juzgado ordenó la indagatoria del comandante y del jefe de inteligencia del Batallón La

Popa, quienes se presentaron y se negaron a responder, con el argumento de que ya habían declarado ante un juez militar. Además, el juez militar le solicitó a la justicia civil que se abstuviera de continuar con el proceso. Cuando el juez se negó, se produjo una colisión de competencias que fue enviada al Tribunal Disciplinario para que la resolviera.

Al igual que en los demás casos, el Tribunal Disciplinario decidió a favor de la jurisdicción militar, pero esta vez hubo un salvamento de voto en el fallo. Según la información suministrada por la Consejería Presidencial, los dos oficiales fueron detenidos en el Batallón La Popa esa misma noche y su situación aún está por resolverse. La justicia militar está a cargo del homicidio de los tres líderes indígenas y de la detención arbitraria y la tortura de los otros dos miembros de su comunidad. La lógica que empleó el Tribunal Disciplinario para fallar a favor de la justicia penal militar es inquietante. Según el Tribunal, los oficiales están en servicio las venticuatro horas del día, teoría que en caso de ser aceptada significa que los jueces militares serían competentes para asumir la investigación de cualquier caso en el cual estén involucrados miembros de las fuerzas armadas.

En calidad de representante de la comunidad arhuaca, Eduardo Umaña Mendoza solicitó la constitución de Parte Civil dentro del proceso penal militar, pero le fue negada[76]. Por su parte, la Procuraduría ha iniciado procesos disciplinarios contra los oficiales que detuvieron y torturaron a los dos indígenas que sobrevivieron y contra los oficiales de la policía que esperaron doce días antes de investigar la información suministrada por el conductor del bus del cual fueron arrebatados los otros tres miembros de la comunidad. El proceso disciplinario por el asesinato de los tres líderes indígenas aún está sin

---

76   En los procesos ante los jueces civiles, la víctima del delito puede participar de manera activa dentro del proceso como parte civil; sin embargo los jueces penales militares no permiten esta figura.

resolver; es decir, la Procuraduría aún no ha decidido si abrirá o no un pliego formal de cargos[77].

Los indígenas paeces

Otra comunidad indígena fue objeto de un ataque violento y trágico, en diciembre de 1991. Un grupo de hombres fuertemente armados ingresó a la finca El Nilo cerca de Caloto (Cauca) el 7 de diciembre de 1991, amenazó a los indígenas y luego incendió sus cosechas y sus casas. El 16 de diciembre, un grupo de aproximadamente cincuenta hombres armados, encapuchados y vestidos con uniformes de tipo militar, irrumpieron en una de las edificaciones de El Nilo donde los indígenas estaban en una celebración religiosa[78]. Los hombres ordenaron a los indígenas salir de la edificación y luego abrieron fuego indiscriminadamente[79]. Por lo menos veinte personas murieron, incluyendo seis mujeres y cinco niños; otros diez resultaron gravemente heridos. Unos murieron instantáneamente como consecuencia de los disparos; otros fueron obligados a acostarse bocabajo y luego les dispararon a quemarropa en la nuca. Después los atacantes destruyeron varias de las viviendas, sembrados y animales domésticos. La comunidad paez ocupaba El Nilo desde 1987 y había reclamado que los terrenos de la hacienda hacían parte de un antiguo resguardo. Se-

77   Jorge Orlando Melo, carta a Americas Watch; y Melo, entrevista a Americas Watch.

78   Esta masacre siguió a otra matanza —también sin resolver— contra cinco indígenas en Timbiquí, Cauca, el 6 de octubre. *Véase* Grupo de Trabajo Internacional por los Derechos Humanos en Colombia, "Séptimo llamado internacional sobre la situación de derechos humanos en Colombia, octubre a diciembre de 1991", febrero de 1992.

79   Gutkin Steven, "Massacre of Indians by Suspected Drug Hitmen Shows Spread of Narcotics", *Associated Press*, 4 de enero de 1992; Grupo de Trabajo Internacional por los Derechos Humanos en Colombia, "Séptimo llamado...", febrero de 1992, p. 2.

gún Amnistía Internacional, la comunidad ya había sido amenazada por un supuesto propietario en julio de 1991[80]. La hacienda El Nilo fue expropiada el 22 de enero de 1992 y el Instituto Colombiano de Reforma Agraria ya comenzó a ejecutar un acuerdo con los indígenas según el cual la comunidad obtendrá unas 15.600 hectáreas a lo largo de los próximos tres años[81].

La masacre ocurrió en las montañas del Cauca (bordeando los departamentos del Tolima y del Huila) en una región donde se cree que los narcos cultivan amapola para la producción de heroína. Las FARC también operan en la región. Los investigadores gubernamentales creen que la disputa de las tierras se origina en el deseo de los narcotraficantes de emplearlas para el cultivo de la amapola, pero la comunidad indígena no comparte esta teoría[82]. Los narcotraficantes constantemente buscan armar a los miembros más jóvenes de la comunidad indígena, contra los deseos de sus mayores, perturbando así la vida comunitaria.

El presidente César Gaviria visitó el lugar de la masacre y comisionó a un equipo especializado de jueces y miembros del DAS, la Sijin (un grupo especializado de inteligencia de la Policía) y algunos especialistas del Cuerpo Técnico de la Policía Judicial[83]. Con el ánimo de brindar una mayor seguridad para los testigos, el proceso lo asumió un juez de Orden Público en Cali[84]. El congresista José Narciso Jamioy, de origen indígena, anunció también la creación de una comisión del Congreso para investigar el caso[85]. La Procuraduría también inició un proceso disciplinario contra las unidades de la Poli-

---

80 Amnistía Internacional, "Acción Urgente", No. 456/91, 20 de diciembre de 1991.
81 Clemencia Gómez A., carta a Americas Watch.
82 Grupo de Trabajo Internacional por los Derechos Humanos en Colombia, "Séptimo llamado...", febrero de 1992, p. 3.
83 Patricia Cleves S., Consejería Presidencial para los Derechos Humanos, carta a Americas Watch, 4 de febrero de 1992.
84 *Ibíd.*
85 Amnistía Internacional, "Acción Urgente" No. 456/91, 20 de diciembre de 1991.

cía, el alcalde y el personero municipal de Caloto[86], quienes se negaron a responder ante las amenazas anteriores contra la comunidad[87].

Desde comienzos de marzo, siete de los participantes de la masacre han sido identificados, de los cuales fueron detenidos cuatro autores materiales y un autor intelectual. Aún está pendiente que se hagan efectivas las órdenes de captura contra los otros dos[88]. En febrero de 1992, los investigadores afirmaron que los sindicados que están detenidos vincularon a miembros de la Policía Nacional en la masacre, incluyendo un mayor y once agentes de policía[89]. Los investigadores también aseguran que algunos grupos de "justicia privada" financiados por los agricultores de la zona y quienes tienen intereses en El Nilo han estado activos en la región desde 1990[90]. La Policía Nacional emitió un comunicado según el cual no existen verdaderas pruebas que respalden las acusaciones contra sus agentes y anunció que le había solicitado a la Procuraduría la asignación de un agente especial para que supervisara todo el proceso. El mayor de la Policía Jorge Durán, el oficial acusado por los tres testigos, negó cualquier participación y presentó su propio testigo para encubrirse. Ninguno de los policías ha sido detenido[91].

---

86   El personero es una especie de *ombudsman* local designado por las autoridades municipales; en muchos casos han demostrado su coraje y determinación intentando resolver las denuncias de violaciones que les llegan. Sin embargo, debido a que forman parte de las estructuras locales de poder, su dedicación a los derechos humanos depende de quién sea el agente nominador.

87   Patricia Cleves, carta a Americas Watch; Clemencia Gómez, carta a Americas Watch.

88   Clemencia Gómez, carta a Americas Watch.

89   "Colombian Police May Have Been Involved in Massacre of Indians" *Reuters*, 28 de febrero de 1992.

90   "Policemen Blamed for Indian Massacre in Caloto", Bogotá, *Inravisión Televisión* Cadena 1, 23 de febrero de 1992, trasmitida por *Foreign Broadcast Information Service*, 2 de marzo de 1992.

91   *Ibíd.*; "Investigan participación de miembros de la Policía", *El Espectador*, 29 de febrero de 1992; "Comunicado de la Policía", *El Tiempo*, 29 de febrero de 1992; "Me enteré de la masacre a las 7 del día siguiente", *El Tiempo*, 29 de febrero de 1992.

Dos miembros del Partido Revolucionario de los Trabajadores, PRT, que investigaban la masacre, fueron asesinados el 8 de enero de 1992. Así mismo, los abogados Carlos Édgar Torres Aparicio y Rodolfo Álvarez Ruiz fueron asesinados en Cali con menos de una hora de diferencia. Torres participaba en las actividades regionales de la AD/M-19 y estaba trabajando con la comisión congresarial que investigaba la masacre. Dos hombres irrumpieron en la casa de Torres y lo asesinaron frente a su esposa e hijos. Álvarez fue asesinado veinte minutos más tarde, mientras estaba con su esposa en el barrio Santa Mónica Popular[92]. El antropólogo Etnio Vidarte, otro miembro del PRT, fue visto por última vez cuando salió esa misma noche de su casa en Cali para asistir al velorio de un amigo[93].

Trujillo

Los sucesos de este trágico episodio, en el cual desaparecieron veintiséis personas después de ser detenidas, en un lapso de tres semanas entre marzo y abril de 1990, han tomado unas proporciones alarmantes. Una de las víctimas detenidas era el padre Tiberio Fernández, párroco de Trujillo (Valle), cuyo cadáver apareció en el río Cauca en abril de 1990, con claras señales de tortura[94]. Parece ser que algunos de los detenidos y luego desaparecidos habían estado involucrados en un conflicto de tierras con algunos de los propietarios locales, por ocupación de tierras; los terratenientes acudieron al Ejército y acusaron a su contraparte en el conflicto de pertenecer al ELN.

---

92   Amnistía Internacional, "Acción Urgente", 30 de enero de 1992; "Asesinan jefe del M-19; desaparece otro dirigente", *El Tiempo*, 11 de enero de 1992.

93   *Ibíd.*

94   Americas Watch, *La "guerra" contra las drogas...*, p. 77. A pesar de que la Procuraduría inició pliego de cargos contra un mayor del Ejército y tres miembros de la Policía en 1990, el proceso no parece estar avanzando.

Un trabajador de los terratenientes se presentó y atestiguó que las víctimas habían sido asesinadas por un grupo paramilitar, con un serrucho. Su declaración juramentada vinculó al mayor Alirio Antonio Urueña Jaramillo del Batallón de Artillería No. 3, Palacé, y a varios de sus subordinados con los asesinatos. Mientras estuvo bajo protección judicial, el testigo fue examinado por el Instituto de Medicina Legal en Bogotá, en presencia de médicos del Ejército, y declarado demente. Meses después, la Procuraduría intentó reexaminarlo. Mientras estuvo en Bogotá buscando protección, el DAS lo remitió a la DEA (Drug Enforcement Administration), a la cual indicó la ubicación de varios laboratorios de cocaína en la región. Después de largas demoras sin haber obtenido más protección, el testigo regresó a Trujillo. El 5 de mayo de 1991, fue detenido por la Policía de Trujillo y desde entonces se encuentra desaparecido.

Un segundo testigo corroboró la versión del primero. Se presentó al juzgado para ratificar su declaración, pero durante un receso a la hora del almuerzo, recibió una amenaza telefónica a la oficina de una organización no-gubernamental y se negó a continuar con la diligencia.

La investigación preliminar de los asesinatos y las desapariciones había sido llevada a cabo por el Juzgado 10o. de Instrucción Criminal en Tuluá. Cuatro civiles estuvieron brevemente detenidos por presunta responsabilidad en el crimen: dos de ellos son miembros de un grupo paramilitar que funciona con el Ejército y los otros dos eran terratenientes y narcotraficantes en cuyas tierras aparentemente estuvieron detenidos, torturados y asesinados varios de los desaparecidos. El quinto sindicado a quien se le emitió orden de captura fue el mayor Urueña.

El ministro de Justicia ordenó el traslado del expediente al Juzgado 3o. de Orden Público, con sede en Bogotá. Para los defensores de derechos humanos pendientes del caso, este juez es sospechoso de estar parcializado a favor de los sindicados; los defensores aseguran que los testimonios presentados en el proceso eran inmediatamente puestos en conocimiento detallado de los sindicados[95].

El 31 de agosto de 1990, el juez de Orden Público dejó en libertad a las cinco personas que estaban detenidas; el 24 de enero de 1991, las absolvió; el 24 de enero el caso subió en apelación al Tribunal de Orden Público. Hasta la fecha de la publicación del presente informe no ha habido ningún pronunciamiento de parte del Tribunal.

Otros cadáveres fueron descubiertos en la zona, pero no se ha hecho ningún esfuerzo por identificarlos. Por lo tanto, todavía se desconoce la suerte de las veinticinco personas que desaparecieron con el padre Tiberio Fernández[96].

Isidro Caballero

Los maestros rurales Isidro Caballero y María del Carmen Santana fueron detenidos el 4 de febrero de 1989 por un contingente del Ejército ubicado en el Batallón Morrison y que opera en Guaduas, cerca de San Alberto, Cesar. A pesar de las muchas investigaciones, todavía se encuentran desaparecidos. Hubo varios testigos presenciales de la captura[97]. Uno de ellos estuvo retenido varios días en el Batallón Santander, donde reconoció a Gonzalo Pinzón, un civil que es miembro de un grupo paramilitar, quien estuvo presente en la detención de los maestros.

---

95 Los testigos dan sus declaraciones directamente ante el juez; el procedimiento no se hace en una diligencia pública.

96 Jorge Orlando Melo, carta a Americas Watch; "Una masacre que enloquece a la justicia", *El Espectador*, 10 de marzo de 1991; Conadhegs, *Testimonios*, No. 1, Bogotá, julio de 1990; Comisión Intercongregacional de Justicia y Paz, *Trujillo bajo el terror 1989-1990*, Bogotá, noviembre de 1991.

97 La Consejería insiste en que no hubo testigos presenciales que demostraran la responsabilidad del Ejército. Clemencia Gómez, carta a Americas Watch, 2 de marzo de 1992.

Tanto Pinzón como el capitán del Ejército Héctor Forero Quintero fueron detenidos a comienzos de 1989 en Santa Marta, vinculados a otro crimen y hurto agravado en Copey, Cesar[98]. A pesar de que Pinzón negó cualquier responsabilidad en la desaparición de Caballero y Santana, otro testigo de la detención lo señaló en una diligencia de reconocimiento en fila de presos. El Juzgado 2o. de Orden Público de Valledupar dispuso entonces la captura y procesamiento de Pinzón, Héctor Forero, el cabo segundo Norberto Báez Báez y de Gonzalo Arias Alturo. Tres de los miembros del Ejército pertenecían al Batallón Caldas; tanto ellos como Pinzón están detenidos en Valledupar. A Báez le profirieron cesación de procedimiento por la desaparición de Isidro Caballero. La etapa instructiva por el delito de secuestro agravado terminó el 27 de junio de 1990. Aún no se ha calificado el mérito del sumario, a pesar de que los términos se encuentran vencidos hace varios meses.

Simultáneamente con la investigación en la jurisdicción de Orden Público, se adelantó otra investigación ante el Juzgado 26 de Instrucción Criminal Militar en Valledupar. El proceso fue iniciado el 27 de febrero de 1989 y terminado el 6 de junio de 1989 por "falta de pruebas", a pesar de que los cuatro sindicados estaban detenidos y se encontraban procesados por la justicia civil[99].

El personero municipal de San Alberto participó al comienzo del caso. La información que obtuvo la transmitió a la Procuraduría; sin embargo, no estuvo pendiente de obtener las pruebas inmediatamente y, por consiguiente, se perdieron algunas cruciales para la investigación. También estuvo pendiente del caso de la señora Nodelia Parra, esposa de Isidro Caballero, quien estuvo asistida por el Comité Regional para la Defensa de los Derechos Humanos, Credhos, en Barrancabermeja. La señora Parra, también maestra y activista sindi-

---

98   El capitán Forero también está vinculado al asesinato de Álvaro Garcés Parra, alcalde de Sabana de Torres (*Véase* mención anterior).
99   Consejería, "Estado de Investigación...".

cal, estuvo representada como Parte Civil dentro del proceso penal, por Jorge Gómez Lizarazo, director de Credhos[100]. Credhos logró darle importancia internacional al caso. Con la información obtenida por Gómez, la Comisión Andina de Juristas-Seccional Colombiana y Americas Watch hicieron una denuncia conjunta ante la Comisión Interamericana de Derechos Humanos de la Organización de Estados Americanos, OEA, en 1989. En 1991, la Comisión Interamericana consideró que el Estado colombiano había violado el derecho a la vida, a la integridad personal y al debido proceso en las desapariciones de Isidro Caballero y María del Carmen Santana. En febrero de 1992, la Comisión Interamericana decidió que no publicaría el caso, posición que consideramos desafortunada, toda vez que le impide influir realmente en el resultado del caso. Si la Comisión hubiese publicado el fallo en su informe anual, existiría la posibilidad de que el proceso formara parte de la agenda de la Asamblea General de la OEA. Una decisión en este sentido habría significado una presión efectiva sobre el Estado miembro, por lo que la negativa de la Comisión se convierte en el mecanismo para evitarle la presión al Gobierno colombiano de continuar con el caso[101]. Americas Watch urge a la Comisión Interamericana para que publique los resultados.

Nidia Érika Bautista

El 30 de agosto de 1987, la miembro del entonces grupo guerrillero M-19, Nidia Érika Bautista, fue interceptada por hombres vestidos de civil y forzada a abordar un vehículo. Tres años después, un desertor de una unidad del Ejército (originalmente el Batallón Charry Solano y ahora conocido como la XX

---

100   *Véase* más adelante los ataques de los cuales han sido víctimas Gómez Lizarazo y el Credhos.

101   La Comisión también se negó a publicar su fallo en el caso de la desaparición del abogado defensor de derechos humanos, Alirio Pedraza (*véase* más adelante).

Brigada de Inteligencia y Contra-inteligencia o Binci) atestiguó que la señora Bautista había sido llevada a una finca y asesinada dos días después; su declaración condujo al descubrimiento de un cementerio clandestino[102]. El cuerpo de la señora Bautista fue identificado. La investigación a cargo del Juzgado 53 de Instrucción Criminal fue cerrada por supuestas discrepancias entre los testigos acerca del número de la placa del carro en el cual se llevaron a la señora Bautista. El Cuerpo Técnico de la Policía Judicial designó a un abogado para que determine si es posible lograr la reapertura de la investigación. A su turno la Procuraduría nos informa que su Oficina de Investigaciones Especiales está analizando el testimonio del desertor con el fin de determinar la posibilidad de iniciar pliego de cargos disciplinarios contra algunos miembros del Ejército[103]. No tenemos información acerca de la existencia de colisiones de competencia con la jurisdicción militar.

Macaravita

El Ejército asesinó a once miembros de la familia Burgos en mayo de 1990[104]. La investigación fue asumida inicialmente

---

102 Testimonio de Bernardo Alfonso Garzón Garzón ante la Procuraduría, el 22 de enero de 1991, transcrito en: "La Brigada XX: Tres personas distintas, un terrorista verdadero", *Voz*, 4 de abril de 1991, pp. 6-7. Garzón fue suboficial del Binci entre 1978 y 1991. Afirmó que la unidad incluía un "Grupo Especial" que después fue llamado la "Compañía de Operaciones Especiales", dedicado a cubrir operativos e infiltraciones de la guerrilla. Garzón asegura que la unidad también es responsable de muchos otros casos, entre los cuales asegura que se encuentra el de Irma Franco Pineda, quien salió con vida de la toma del Palacio de Justicia por parte del M-19 en 1985; el asesinato de Óscar William Calvo, dirigente del EPL que actuó como vocero de esa organización durante los diálogos de paz con el gobierno y la desaparición inexplicable de Amparo Tordecilla, esposa del dirigente del EPL, Bernardo Gutiérrez. Garzón está en exilio.

103 Jorge Orlando Melo, carta a Americas Watch.

104 Americas Watch, *La "guerra" contra las drogas...*, p. 76.

por el Juzgado 8o. de Instrucción Criminal en Málaga, Santander, pero tan pronto se determinó la participación de miembros del Ejército, fue asumida por un juzgado penal militar en Pamplona. Este juzgado hizo caso omiso de las pruebas y cerró la investigación sin haber sindicado a nadie. La decisión fue revocada por una providencia del Tribunal Superior Militar, en la cual se reprocha con un lenguaje fuerte la actuación de la primera instancia y se emite orden de captura contra los oficiales involucrados. El sargento José Mesa Piedrahíta está sindicado de haber dirigido la operación, pero no está claro si se encuentra detenido.

Puerto Valdivia

En abril de 1990, cinco campesinos fueron torturados y asesinados[105]. Después de que el Ejército había obstaculizado la investigación, el Juzgado 2o. de Orden Público en Medellín estableció la responsabilidad inicial de las tropas pertenecientes a una brigada móvil estacionada en el Batallón Girardot, bajo las órdenes de la IV Brigada en Medellín. Es decir que existen suficientes pruebas para sindicar a las tropas, pero no existe plena prueba para condenarlas. El 10 de enero de 1991, el Tribunal Disciplinario decidió que el proceso debería ser trasladado al Juzgado 21 Penal Militar que funciona en la IV Brigada[106]. La Procuraduría ha iniciado un proceso disciplinario contra dos capitanes, un subteniente, tres sargentos, dos cabos y tres soldados regulares de la IV Brigada. Actualmente está en la etapa probatoria[107].

---

105 *Ibíd.*
106 Jorge Orlando Melo, carta a Americas Watch.
107 Clemencia Gómez, carta a Americas Watch.

F. Ataques contra la Rama Judicial y contra los Defensores de Derechos Humanos

A los gobiernos de Virgilio Barco y César Gaviria se les debe dar crédito por los esfuerzos que han hecho por proteger a los jueces y magistrados de reprimendas e intimidaciones (*véase* el Capítulo 5). Aún así, no cabe la menor duda de que el sistema judicial colombiano continúa intimidado por la cantidad de ataques a los jueces y el personal de la administración de justicia. Cosa diferente pero que guarda una estrecha relación con estos ataques, lo constituye la persecución permanente de los defensores de derechos humanos, por parte de las fuerzas paramilitares y los agentes estatales. A lo largo de la presente Sección haremos referencia a los incidentes recientes de persecución a los defensores de derechos humanos y a los jueces, desde finales de 1990 hasta comienzos de 1992.

Se cree que uno de los incidentes más serios como ataque a la administración de justicia fue responsabilidad de las FARC. El 26 de noviembre de 1991, cerca de La Unión, municipio de Usme, Cundinamarca, un equipo encabezado por el juez 75 de Instrucción Criminal de Bogotá, Luis Miguel Garavito, se dirigía a hacer el levantamiento del cadáver de Luis Miguel Naranjo, un dirigente comunal de Usme que había sido asesinado pocas horas antes. El equipo fue dinamitado y luego atacado con metralletas. El juez Garavito murió, junto con el fiscal Héctor Ojeda, el secretario Hernando Trujillo, la mecanotaquígrafa Amanda Gómez, el fotógrafo Alfonso García, el médico forense Jaime Puerto, los miembros de la Policía Judicial Héctor Romero y Alfonso García Villarraga y el agente de la policía Elkin Ruiz. Los demás miembros de la Policía Judicial, Luis Ariel Sánchez, Jesús Alejandro Chaparro y Martín Barragán, resultaron heridos.

Las fuentes militares y de policía culparon del ataque al recientemente constituido XLII Frente de las FARC, dirigido por Jorge Briceño, "Comandante Jojoy". Las mismas fuentes aseguraron que una interceptación en las comunicaciones entre los diferentes frentes de las FARC había demostrado que el ataque había sido un "error lamentable" generado por una falla en el sistema eléctrico empleado para las detonaciones de explosivos, y que originalmente estaba destinado contra una patrulla de la Policía. En las comunicaciones interceptadas, las FARC aseguraban que no atacarían a civiles ni a miembros de la Rama Judicial[108].

Aún si se aceptara la versión de que el incidente fue un "error", un ataque semejante constituye una grave violación a las leyes de la guerra a las que están legalmente obligadas las FARC. Los miembros de la Rama Judicial son civiles y, como tal, se convierten en un objetivo prohibido, como lo pretenden reconocer las supuestas comunicaciones. Además, si la detonación eléctrica fue una equivocación, tampoco explica la balacera inmediata sobre el equipo, la cual agravaba el daño producido por la explosión.

Los miembros de la Policía Judicial que acompañaban el equipo tampoco constituían un objetivo legítimo porque no se encontraban presentes para asumir un papel activo dentro de las hostilidades. Además, aún los ataques contra los objetivos militares legítimos deben guardar una proporción tal, que no produzcan un peligro innecesario para la población civil. Según las leyes que se aplican a los conflictos armados de carácter interno, el atacante tiene la obligación permanente de minimizar el riesgo para la población civil, obligación que claramente no fue observada en este caso. Americas Watch hace un llamado a la comandancia de las FARC para que investigue a fondo los hechos, castigue a los responsables y le informe al público colombiano los resultados de su investigación.

---

108 CAJ-SC, "Proyecto Violencia contra Jueces y Abogados, 1979-1991" (bajo el auspicio de la Comisión Internacional de Juristas), impresión del expediente de casos No. 510, agregado a una carta enviada a Americas Watch, 27 de diciembre de 1991. Las fuentes citadas son: *El Espectador*, 27, 28 y 29 de noviembre de 1991 y 12 de diciembre de 1991; *El Tiempo*, 27, 28 y 29 de noviembre de 1991 y 1º y 6 de diciembre de 1991.

En otro incidente, un juez sin rostro encargado de un juzgado de Orden Público también fue atacado el 10 de agosto de 1991 en Bogotá[109]. Varios asaltantes interceptaron el vehículo en el que viajaba el juez y lo abalearon con ametralladora. Sus guardaespaldas del DAS dispararon a los atacantes, quienes huyeron del lugar. No hubo ningún muerto. Las autoridades especulan que el ataque pudo ser obra del narcotráfico porque el juez, cuyo nombre no ha sido revelado, estaba a cargo de varios procesos contra Pablo Escobar, el narcotraficante que se encuentra actualmente detenido en la cárcel de Envigado y quien está siendo procesado por varios delitos*. Sin embargo, el juez tenía otros enemigos poderosos. Recientemente había estado a cargo del proceso por la masacre de Urabá de 1988 y había condenado a varios de los más notorios dirigentes paramilitares (véase comentario anterior)[110].

Los defensores de derechos humanos también continúan siendo asesinados, desaparecidos y amenazados, lo cual demuestra por desgracia los peligros para el trabajo de derechos humanos en Colombia. En el más reciente incidente, Blanca Cecilia Valero de Durán, secretaria del Comité Regional para la Defensa de los Derechos Humanos en Barrancabermeja, fue asesinada por hombres armados vestidos de civil, en la puerta de las oficinas de Credhos, el 29 de enero de 1992. Tres policías que estaban al otro lado de la calle ignoraron sus gritos después de que los primeros disparos fallaron y no hicieron nada para perseguir a los asesinos[111]. La señora Valero fue asesina-

---

109   Los juzgados de Orden Público, ahora llamados "Juzgados Regionales", tienen competencia para conocer todos los procesos por narcotráfico y conexos y por los delitos relacionados con la insurgencia. Los juzgados están a cargo de los "jueces sin rostro" cuya identidad se desconoce. Véase el Capítulo 5 para un análisis de este sistema.

*   Nota del traductor: Como se comenta más adelante, Pablo Escobar huyó de la cárcel de Envigado el 22 de julio de 1992.

110   CAJ-SC, "Proyecto Violencia contra Jueces...", No. 479, citando a La Prensa, 10 de agosto de 1991.

111   Steven Gutkin, "Human Rights Abuses Rampant in Colombia's Main Oil Center", Associated Press, 5 de marzo de 1991; Amnistía Internacional, Acción Urgente, No. 63/92, 20 de febrero de 1992.

da al día siguiente en que el periódico *The New York Times* publicara un artículo del director de Credhos, Jorge Gómez Lizarazo, en el cual le atribuía la responsabilidad de los asesinatos políticos al Ejército y la Policía colombianos[112].

El asesinato de Blanca Valero es otro de los muchos asesinatos de los defensores de derechos humanos. El 25 de febrero de 1991 había sido asesinado Alcides Castrillón, un miembro de Conadhegs, cerca de su casa en Bogotá, por un grupo de hombres vestidos de civil que lo atacó brutalmente con bolillos. Castrillón era de origen campesino y había sido el único sobreviviente de una masacre en el departamento del Guaviare unos años antes. No ha habido ningún progreso en la investigación por este asesinato.

El 19 de marzo de 1991 en Barrancabermeja, asesinos desconocidos también asesinaron a José Hernández, conocido como "Hache", un exdirigente sindical y miembro del Comité Regional, Credhos. Sus asesinos no han sido enjuiciados.

El proceso por la desaparición del abogado de derechos humanos Alirio Pedraza, interceptado en un barrio de Bogotá el 4 de julio de 1990, duerme en los juzgados[113]. Sus compañeros en el movimiento de derechos humanos culpan a la falta de colaboración de la Policía por el progreso del proceso; los secuestradores de Pedraza fueron interceptados por agentes de la Estación de Policía de Suba, quienes les permitieron seguir su rumbo con la víctima, después de que mostraron identificación oficial. La Estación de Policía de Suba ha negado el episodio y se rehúsa a prestar a sus agentes para identificación de parte de los muchos testigos que presenciaron el secuestro de

---

112 Jorge Gómez Lizarazo, "Colombian Blood, U.S. Guns", *The New York Times*, 28 de enero de 1992. El artículo fue leído por la radio colombiana el mismo día de la muerte de la señora Valero.

113 En diciembre de 1991, Human Rights Watch (de la cual forma parte Americas Watch) honró a Pedraza por su valiente trabajo en derechos humanos durante la ceremonia de reconocimiento al trabajo mundial en derechos humanos. Un asiento vacío fue colocado en el escenario como símbolo de la imposibilidad de asistir de Pedraza y del peligro que afrontan los observadores de derechos humanos.

Pedraza. Varias de las entidades oficiales que han investigado el caso, incluyendo la Procuraduría, la DNIC y la Consejería, prepararon un informe confidencial[114]. Mientras tanto, los jueces han negado la petición de *habeas corpus* a favor de Pedraza, argumentando en un círculo vicioso, que es imposible tramitarla, debido a que se desconocen tanto el paradero como los captores de Pedraza. La Comisión Andina de Juristas-Seccional Colombiana llevó el caso a la Comisión Interamericana de Derechos Humanos de la OEA. Al igual que en el caso de la desaparición de Isidro Caballero y María del Carmen Santana (ya mencionado), la Comisión acordó la condena al gobierno de Colombia por la desaparición de Alirio Pedraza, pero se negó a publicar su resolución. La ausencia de denuncia pública permite evitar una enorme fuente de presión en este caso.

Además de enfrentarse a muertes y desapariciones, los defensores de derechos humanos deben enfrentar constantes amenazas. Como mencionamos en el presente Capítulo, el abogado Eduardo Umaña Mendoza, del Colectivo de Abogados "José Alvear Restrepo", recibió varias amenazas por representar a las víctimas de la masacre de Fusagasugá. Nodelia Parra, esposa del desaparecido Isidro Caballero, profesora y cliente de Jorge Gómez Lizarazo, director del Comité Regional Credhos, también ha sido amenazada. Los miembros de Conadhegs informaron que habían sido amenazados como consecuencia de su investigación por la masacre de Los Uvos. Por su parte, un comité de derechos humanos en Ocaña, Norte de Santander, organizó un foro de derechos humanos en agosto de 1991. Varios de los organizadores recibieron amenazas serias durante las siguientes semanas.

El director de Credhos, Jorge Gómez Lizarazo, ha recibido amenazas continuas, tanto antes como después del asesinato

---

114   Jorge Orlando Melo, carta a Americas Watch. Americas Watch considera que le incumbe al gobierno de Gaviria dar a conocer el informe al público. Aun cuando no se haga justicia, el gobierno tiene la obligación de dar a conocer la verdad, puesto que se ha investigado.

de su secretaria Blanca Valero (un ejemplo de estas amenazas aparece en el Anexo del presente Informe). En 1991, las amenazas permanentes contra el Comité Regional y el asesinato del señor Hernández en marzo, obligaron a varios de los dirigentes de dicha organización de derechos humanos a permanecer largos períodos de tiempo fuera de Barrancabermeja. En septiembre de 1991 Jorge Gómez Lizarazo ganó el Premio "Letelier-Moffitt" de Derechos Humanos del Institute for Policy Studies en Washington. Gómez permaneció en Washington hasta enero de 1992 como abogado interno de la Comisión Interamericana de Derechos Humanos de la OEA.

Hacía pocos días había llegado a Barrancabermeja, cuando los enemigos del Comité Regional asesinaron a Blanca Valero. Dos semanas después de su muerte, aparecieron en un periódico local las declaraciones del comandante de la V Brigada del Ejército, Roberto Emilio Cifuentes, afirmando que el Comité Regional era utilizado por la guerrilla para tasajear y minimizar a las fuerzas armadas[115]. Debido a la enorme ola de violencia paramilitar y de amenazas contra los activistas sindicales y de derechos humanos en el primer trimestre de 1992 en Barrancabermeja, Gómez Lizarazo aceptó protección de la Policía. Al momento de enviar el presente informe a imprenta, Gómez Lizarazo está permanentemente custodiado por un contingente de guardaespaldas.

El gobierno de Gaviria ha intentado reconocer la legitimidad de la labor del Comité Regional, al enviar delegaciones altamente notorias a Barrancabermeja. A mediados de 1991, cuando las amenazas contra Gómez y sus colegas se encontraban en su peor momento, el gobierno envió a los ministros de Defensa y Gobierno, al consejero presidencial para los Derechos Humanos y al recientemente nombrado Defensor del Pueblo. A los pocos días del asesinato de Blanca Valero, viajaron de nuevo a la región Horacio Serpa Uribe, consejero presi-

---

115 Amnistía Internacional, *Acción Urgente.*

dencial para la Paz; Ricardo Santamaría, consejero presidencial para la Defensa y Seguridad Nacional y el viceministro de Gobierno. Simultáneamente un miembro de la oficina del procurador general informó secretamente y sin revelar su identidad que era posible que las fuerzas estatales estuvieran involucradas en el asesinato de Blanca Valero[116].

Está claro que un reconocimiento internacional significa poco en términos de la protección de estos valientes defensores. Por el contrario, los ataques parecen estar diseñados para silenciarlos tanto a nivel local como a nivel internacional. A pesar de que el envío de las delegaciones gubernamentales constituye un paso importante, los ataques contra los defensores de derechos humanos sólo cesarán cuando los culpables sean enjuiciados y condenados. Por tal razón, resulta importante que los asesinatos del señor Hernández y la señora Valero de Durán sean investigados a fondo, que sus asesinos sean castigados y que cualquier agente estatal al que se le demuestre encubrimiento de los responsables sea sancionado disciplinariamente de manera ejemplar.

Bajo las actuales circunstancias, resulta no sólo sorprendente sino digno de una gran admiración que el movimiento de derechos humanos continúe creciendo numéricamente y en grado de sofisticación en Colombia*. Los defensores de derechos humanos son en gran parte responsables de la promoción del "Tribunal Permanente contra la Impunidad" que tuvo lugar en varios países latinoamericanos en 1990 y 1991[117]. La

---

116 Steven Gutkin, "Human Rights Abuses Rampant...", *Associated Press*, 5 de marzo de 1992.

* Nota del traductor: En julio de 1992, el Comité Regional anunció que cerraría sus puertas debido a la falta de seguridad para sus miembros. El consejero presidencial para la Paz, Horacio Serpa Uribe, solicitó a Jorge Gómez que reconsiderara su decisión.

117 La Liga Internacional para los Derechos Humanos y la Liberación de los Pueblos organizó estos "Tribunales" que incluyeron varias audiencias "públicas" en diferentes ciudades. Su objetivo principal es llamar la atención acerca de la obligación de los gobiernos de asegurar la sanción de los responsables de violaciones masivas a los derechos humanos.

etapa final tuvo lugar en Bogotá en abril de 1991 ante un gran público y con la participación de varios de los más importantes defensores de derechos humanos en América Latina.

Americas Watch le pide de nuevo al Gobierno de Colombia que brinde una mayor protección a los defensores de derechos humanos y que asegure investigaciones serias por cada ataque que sufren nuestros colegas colombianos.

G. El informe de la Procuraduría

El 18 de septiembre de 1991, el procurador general, Carlos Gustavo Arrieta, publicó un informe acerca de las actividades de la Procuraduría Delegada para los Derechos Humanos entre enero de 1990 y abril de 1991[118]. El documento contiene una relación honesta e impactante de la persistencia de las violaciones actuales a los derechos humanos en Colombia, así como la relación de la cantidad de crímenes en los cuales ha habido participación de agentes del Estado y que, sin embargo, continúan impunes.

Los hallazgos de la Procuraduría son aún más impresionantes debido a su espectro limitado: el informe no incluye los actos de violencia política cometidos por miembros del crimen organizado, tales como el Cartel de Medellín, ni por los grupos guerrilleros y ni siquiera por los grupos paramilitares, salvo que exista un vínculo comprobado con un agente del Estado. Debido a que la Procuraduría únicamente tiene competencia para sancionar a los servidores públicos, estos grupos se encuentran por fuera de su mandato[119].

---

118 "Procurador informa sobre derechos humanos", *El Espectador*, 19 de septiembre de 1991. El informe fue publicado como: Procuraduría General de la Nación, "Informe sobre derechos humanos", *Revista No. 11*, Bogotá, septiembre de 1991.

119 Como mencionamos en otros apartes del presente Informe, la Procuraduría solamente tiene competencia para iniciar procesos disciplinarios; no puede iniciar procesos penales de oficio. Sin embargo, la Procuraduría sí puede hacer un traslado de pruebas a los jueces penales para coadyuvar en los procesos.

El informe recoge estadísticas escalofriantes, basadas en las investigaciones propias de la Procuraduría sobre las fuerzas militares y de policía. En los dieciséis meses transcurridos entre enero de 1990 y abril de 1991, la Procuraduría recibió 3.161 denuncias sobre 5.285 víctimas[120]. El informe cubre una gran variedad de violaciones a los derechos humanos, incluyendo 560 asesinatos, 68 masacres en las cuales murieron 589 personas, 616 desapariciones y 664 víctimas de tortura[121].

También contiene un capítulo acerca de cada tipo de violación, en el cual se encuentra la estadística sobre el número y ocupación de las víctimas, las organizaciones a las que pertenecían y el estado actual de la investigación. Las estadísticas también están fraccionadas geográficamente. Solamente unos pocos casos que sucedieron antes de enero de 1990 están incluidos, si en ellos la Procuraduría recibió la denuncia o tomó alguna decisión durante la época que cubre el informe.

Los comentarios amplían la información suministrada por los cuadros estadísticos. En el capítulo acerca de las masacres por ejemplo, el texto aclara que la Procuraduría define el término no solamente con base en el número de muertos, la identidad de los asaltantes o el *modus operandi*, sino porque existe la intención de parte de los asaltantes de castigar a un grupo social identificable. El texto acerca de las masacres también aclara que en muchos de los casos la estadística no recoge una versión completa de lo sucedido, porque no cuenta aquellas víctimas que resultaron heridas, fueron obligadas a refugiarse o quedaron sin vivienda. A pesar de que la Procuraduría con-

120 El número total de expedientes (3.161) generalmente corresponde al número de denuncias formales hechas por las propias víctimas o alguna persona relacionada con ellas. Sólo en unos pocos casos la Procuraduría ha actuado de oficio, incluyendo los casos en que recibió denuncias anónimas serias. Entrevista a Carlos Gustavo Arrieta, procurador general de la Nación, Bogotá, octubre de 1991.

121 El delito de lesiones personales contiene un 17.8% del total; la detención arbitraria, un 16.6%; allanamientos ilegales, un 9.08%; y las demás (tentativa de homicidio, ataques contra la población, abuso de autoridad, constreñimiento, maltrato y abuso sexual) un 4.78%.

sidera las masacres como un fenómeno aislado, 68 de ellas ocurrieron en los dieciséis meses que cubre el informe. Como es de esperarse, Antioquia encabeza la lista con 22 masacres o un 32% del total; Córdoba y Santander (departamentos con una gran actividad paramilitar y de contrainsurgencia) contribuyeron con 8 y 7 masacres respectivamente. Más del 40% de las víctimas eran campesinos.

Al identificar las masacres, según el autor, la Procuraduría encontró que la mayoría eran responsabilidad de las fuerzas estatales; las Fuerzas Militares eran sospechosas en un 38% de los casos, la Policía Nacional en un 20.58%, y el DAS en una masacre o un 1.47%. En 27 de los casos (un 39.70%) la identidad de los asaltantes todavía estaba siendo investigada.

En 76.47% de las masacres solamente había una investigación preliminar de parte de la Procuraduría. Diecinueve miembros de las fuerzas militares, tres policías y dos agentes del DAS habían recibido pliego de cargos, o una acusación disciplinaria formal; solamente habían sido solicitadas sanciones para dos militares y dos policías.

El capítulo acerca de las desapariciones confirma la información recolectada por los defensores de derechos humanos en el sentido de que el fenómeno es persistente y generalizado. De las 465 víctimas denunciadas a la Procuraduría, solamente 47 volvieron a aparecer; 19 de ellas estaban vivas; 15 estaban muertas; 8 habían sido víctimas de secuestros de parte de la guerrilla o de delincuentes comunes y habían sido dejadas en libertad; y 5 habían sido secuestradas por delincuentes comunes y luego asesinadas. Las estadísticas para períodos más largos son aterradoras: la Procuraduría tiene 1.012 casos de desapariciones ocurridas entre 1985 y 1988, 318 en 1989 y 465 entre el 1º de enero de 1990 y el 31 de marzo de 1991.

En 65 de los 465 casos, no había ningún agente estatal involucrado. La Procuraduría inició investigaciones preliminares en unos casos que sumaban 63 víctimas e inició pliego de cargos en 40 de ellos. Al igual que con las masacres, las fuerzas militares resultaron ser las principales sospechosas en la mayoría de los casos: 100 de 465. Respecto de las sanciones disciplinarias, 5 policías fueron absueltos, mientras que 5 policías más y 5 militares fueron sancionados, presumiblemente mediante la remoción del cargo.

La introducción al informe, hecha por el procurador Carlos Gustavo Arrieta, compara las violaciones a los derechos humanos con el índice de criminalidad por cada 100.000 habitantes de cada uno de los departamentos. Es claro que no existe ningún vínculo: el índice de criminalidad en Caldas y Risaralda es el más alto (175 y 135 por cada 100.000), pero a la vez el índice de violaciones a los derechos humanos es comparativamente más bajo (11 y 15 violaciones por cada 100.000 habitantes). En Santander, por ejemplo, donde se encuentra ubicada Barrancabermeja y la mayoría del Magdalena Medio, la relación entre las violaciones a los derechos humanos y el índice de criminalidad es aterradora: los crímenes cometidos por los organismos de seguridad contra la población constituyen el 61.71% del índice de criminalidad.

Tal como lo señala Arrieta, las fuerzas militares resultan ser responsables de la mayoría de las violaciones a los derechos humanos, precisamente en aquellos departamentos en los que la actividad insurgente es elevada; en esas zonas las principales violaciones las constituyen las desapariciones, las masacres y la tortura. A la Policía se la acusa de cometer violaciones tales como desapariciones, detenciones arbitrarias, amenazas y lesiones personales en las zonas urbanas[122].

Los procesos habían culminado en sanción disciplinaria en tan solo 322 de los 3.161 casos; otros 555 habían sido rechazados básicamente por falta de pruebas. En 1.792 casos hubo suficiente evidencia para comenzar una investigación preliminar, pero solo hubo pruebas suficientes para formular pliego de cargos en 405 procesos que involucraban a un total de 643 agentes. En los 322 procesos concluidos, 103 agentes fueron absueltos y a 349 se les recomendó sanción. La mayo-

122 Procuraduría General de la Nación, "Informe...", pp. 6-8.

ría de esos 349 eran agentes de la Policía y, aun así, los cargos eran por violaciones menores como lesiones personales y detención arbitraria[123]. El número limitado de agentes sancionados demuestra lo particularmente difícil que resulta investigar las denuncias por violaciones cometidas en zonas remotas, donde está más activo el Ejército que la Policía y donde no se cuenta con la colaboración de los organismos de seguridad.

A pesar de ello, las estadísticas demuestran una actividad investigativa y sancionatoria seria. Sin embargo, los casos anteriormente descritos solo incluyen los procedimientos disciplinarios para los cuales la sanción más grave es la remoción del cargo. El índice de sanciones por violaciones atroces tales como masacres y desapariciones se desconoce, pero en todo caso resulta infinitamente más baja que la que demuestran estos datos.

Arrieta le presentó públicamente el informe al presidente Gaviria en una ceremonia que tuvo lugar en la Casa de Nariño. Durante dicha ceremonia, el presidente reconoció abiertamente que las fuerzas militares y de Policía cometen violaciones serias que por lo general quedan completamente impunes. Gaviria también solicitó una mayor participación ciudadana para lograr un mayor índice de denuncias y una más alta participación de las entidades gubernamentales para prevenir y sancionar las violaciones a los derechos humanos[124]. El director de la Policía Nacional, Miguel Antonio Gómez Padilla, afirmó que el informe era "objetivo y veraz". A lo largo de las siguientes semanas, la Procuraduría y la Policía se reunieron para discutir los mecanismos para reducir las violaciones a los derechos humanos cometidos por esa institución. Esta actitud

---

123 *Ibíd.*, p. 70.
124 "Gaviria reconoce impunidad en las investigaciones", *El Espectador*, 19 de septiembre de 1991.

contrasta con la de las fuerzas militares, que guardaron estricto silencio al respecto[125].

La actitud de la comandancia del Ejército no es sorprendente. En febrero de 1991, el entonces ministro de Defensa, general Óscar Botero, se había quejado acerca de las investigaciones de la Procuraduría, a pesar de que le deba crédito a Arrieta por intentar acabar con "el problema" (es decir, terminar con la impunidad). Botero se quejó de que siete de las dependencias de la Procuraduría tenían facultades para investigar a los militares y que, en algunos casos, un oficial había sido interrogado por más de un delegado[126]. Botero también sostuvo que la mayoría de los 2.326 procesos pendientes en ese momento involucraban a oficiales del Ejército, y que dicho fenómeno había lesionado la disciplina militar y había creado un "síndrome de Procuraduría" en los oficiales y suboficiales que tenía como consecuencia el bajo rendimiento profesional[127].

La actitud asumida por el general Botero ayuda a comprender por qué tanto los oficiales como los soldados creen que tienen derecho a violar impunemente las leyes y a entorpecer los esfuerzos que hacen las entidades gubernamentales encargadas de la protección a los derechos humanos. Desafortunadamente, aún es prematuro afirmar si la designación de un ministro de Defensa civil por parte del presidente Gaviria cambiará la mentalidad de los oficiales y de sus tropas.

---

125   Entrevista a Arrieta en octubre de 1991; " 'Objetivo y veraz': Gómez Padilla", *El Espectador*, 19 de septiembre de 1991. El ministro de Defensa, Rafael Pardo, le dijo a Americas Watch a finales de octubre de 1991 que su despacho estaba esperando sugerencias concretas que Arrieta había anunciado para disminuir el índice de abusos. Entrevista a Pardo, octubre de 1991.

126   La Procuraduría tiene amplias facultades para investigar la conducta de los oficiales. Además, es posible que los militares interrogados estén involucrados o tengan conocimiento acerca de más de una violación. Las quejas del general Botero demuestran hasta qué punto los militares se niegan a aceptar que a sus subalternos les sea vigilada su conducta.

127   Entrevista a *El Tiempo*, 17 de febrero de 1992.

La Procuraduría merece reconocimiento por su informe objetivo y honesto, así como por sus esfuerzos por reducir la impunidad[128]. La iniciativa misma de publicar el informe demuestra voluntad para combatir la violencia política. La idea surgió en 1991, cuando el ministro de Gobierno y el consejero presidencial para los Derechos Humanos se reunieron con la cúpula de la Unión Patriótica para discutir el nuevo aumento en los ataques contra ese partido político[129]. Como consecuencia de la reunión, el gobierno decidió publicar su propio informe, con base en sus investigaciones, a raíz de lo cual Arrieta decidió movilizar toda la Procuraduría y producir su propio documento. Mientras tanto, el Ejecutivo ha confirmado su intención de elaborar un documento separado con base en las investigaciones de la Procuraduría y, presumiblemente, con base en documentos gubernamentales y judiciales. El informe también cubrirá las violaciones de parte de los agentes no gubernamentales[130].

128 Véase Americas Watch, Informe sobre derechos humanos en Colombia, pp. 107-110; y La "guerra" contra las drogas..., pp. 114-117.

129 Entrevista al ministro de Gobierno, Humberto de la Calle Lombana, y al consejero presidencial para los Derechos Humanos, abril de 1991.

130 Entrevistas a Jorge Orlando Melo en abril y octubre de 1991; Héctor Peña Díaz, "Informe sobre derechos humanos", Derechos Humanos, (revista publicada por la Consejería Presidencial para los Derechos Humanos), No. 13, abril-junio de 1991, p. 1.

Capítulo 3. LA GUERRA CON LA GUERRILLA Y EL PROCESO DE PAZ

La violencia política que describimos en el capítulo anterior tiene lugar dentro de un conflicto más amplio en el que participan los grupos guerrilleros de izquierda así como las fuerzas armadas y los organismos de seguridad del Estado. Los abusos cometidos por los grupos paramilitares, las autodefensas y las fuerzas armadas se explican —y para algunas personas se justifican— como una estrategia inevitable de "guerra sucia" dentro del movimiento de contrainsurgencia indispensable para combatir a los grupos guerrilleros, que cuentan con amplio respaldo dentro de la población civil. Además de que jurídica y éticamente resulta indefendible, la estrategia de la "guerra sucia" que incluye desapariciones, torturas y ejecuciones sumarias se convierte en un mecanismo torpe tanto desde el punto de vista político como práctico. Algunos podrán argumentar que el terrorismo de Estado evita el aumento en tamaño y en poderío de los grupos guerrilleros, porque intimida a los posibles simpatizantes. Sin embargo, en Colombia se han practicado masacres, torturas, desapariciones y asesinatos durante varios años y bajo diferentes gobiernos, y todos están de acuerdo en que aún no se puede pretender un triunfo militar sobre la guerrilla. Además, la "guerra sucia" desmorona y debilita la sustancia de una sociedad democrática y evita que el gobierno tome el único rumbo hacia un triunfo legítimo sobre los rebeldes.

La guerrilla, por su parte, también ha cometido violaciones atroces y sistemáticas a las leyes de la guerra, tal como lo describimos en nuestros Informes anteriores y lo analizamos en el presente capítulo[131]. Los asesinatos, los secuestros y los ataques indiscriminados le han erosionado el apoyo a los grupos guerrilleros, de la misma forma como las prácticas semejantes le han negado al gobierno colombiano el apoyo en muchas regiones del país. Aun si la guerrilla combatiese con mayor respeto por sus obligaciones de Derecho Internacional Humanitario, el solo hecho de que su lucha data de hace treinta o cuarenta años demuestra que no están en posibilidades de esperar un triunfo estrictamente militar[132]. Los colombianos, dentro y fuera del gobierno, buscan alternativas diferentes al combate desde hace varios años, debido a las características del estamento militar y a que los combates han significado grandes pérdidas para la sociedad colombiana[133].

A. LAS CONVERSACIONES DE PAZ

Americas Watch ha seguido el desarrollo de las conversaciones de paz, desde los frustrados intentos de diálogo iniciados por el entonces presidente Belisario Betancur en 1982[134]. Después de iniciar y suspender las conversaciones durante ocho años, el gobierno del presidente Virgilio Barco logró negociar una tregua con el M-19 en 1989 y desmovilizar y transformar el grupo en un partido político legítimo en 1990.

Consideramos que al igual que en Centroamérica, las conversaciones de buena fe deben ser estimuladas en Colombia. La terminación del conflicto armado significaría la culminación de las muchas y torpes disculpas que se ofrecen por las

---

131 Americas Watch, La *"guerra" contra las drogas...*, pp. 61-74; y Americas Watch, *Informe sobre derechos humanos...*, pp. 38-50.
132 Antonio Caballero, "Lombrices solitarias", *Semana*, 16 de abril de 1991.
133 *Véase* por ejemplo, el Informe de la Comisión para la Superación de la Violencia, que se describe en la sección B.
134 *Véase* Americas Watch, *Informe sobre derechos humanos...*, pp. 20-32; y Americas Watch, *La "guerra" contra las drogas...*, pp. 133-145.

violaciones a los derechos humanos; además, el proceso mismo de la búsqueda de la paz puede ser estimulante para que ambas partes modifiquen su conducta, aun cuando sea tan solo para lograr una ventaja psicológica sobre su enemigo. El gobierno de Gaviria continuó el esquema de conversaciones iniciado por Virgilio Barco el 6 de septiembre de 1989, a lo largo del período cubierto por el presente informe[135]. El primer acuerdo concreto consistió en una declaración de principios y un acuerdo de tregua, firmado entre el gobierno de Barco y el M-19 en enero de 1989 y al cual le siguieron dos acuerdos más en junio y noviembre del mismo año. El M-19 hizo entrega de sus armas en enero de 1990 y participó como partido político en las elecciones locales de marzo de ese año. A pesar del asesinato de su dirigente y candidato presidencial Carlos Pizarro Leongómez (descrito en el Capítulo 2), el movimiento que luego tuvo la denominación de Alianza Democrática M-19 presentó un candidato a las elecciones presidenciales en mayo de 1990[136]. La AD/M-19 también obtuvo el mayor número de votos en las elecciones de diciembre de 1990, en las cuales se eligieron los miembros de la Asamblea Nacional Constituyente y, entre febrero y julio de 1991, desempeñó un papel fundamental en la elaboración de la nueva Constitución Nacional colombiana.

El éxito electoral de la AD/M-19 convenció a otros grupos guerrilleros de la viabilidad del proceso de paz. En 1990, el gobierno inició conversaciones con el Ejército Popular de Liberación, EPL, un grupo guerrillero más numeroso que el M-19, y con dos grupos pequeños, el Partido Revolucionario de los Trabajadores, PRT, y el movimiento indígena Quintín Lame.

---

135   El gobierno propuso un proceso de tres pasos, en el que se incluían un período inicial de distensión; un período de transición, en el cual los grupos guerrilleros se ubicaban en determinadas zonas; y un período de reincorporación, en el cual el gobierno en principio brindaría protección a los excombatientes mientras se incorporaban a la actividad política abierta. *Véase* Americas Watch, *Informe sobre derechos humanos...*, p. 20.
136   Americas Watch, *La "guerra" contra las drogas...*, pp. 89-90.

Las negociaciones con estos grupos fueron exitosas y, a comienzos de 1991, los tres grupos habían desmovilizado sus tropas y hecho entrega de sus armas. También obtuvieron dos
cupos que les habían sido reservados en la Asamblea Nacional
Constituyente. El EPL actualmente hace parte de la AD/M-19
bajo el nombre de Esperanza, Paz y Libertad.

Los adelantos mencionados en el proceso de paz dejan a
Colombia con solo dos grupos guerrilleros considerables y una
pequeña fracción disidente del EPL desarrollando la guerra
contra el Estado. Las Fuerzas Armadas Revolucionarias de
Colombia, FARC, y la Unión Camilista del Ejército de Liberación Nacional, UC-ELN, no solo son los grupos más antiguos
en el país, sino que también son los más grandes y mejor organizados. Las FARC, por ejemplo, continúan gozando del
apoyo de muchos sectores campesinos en las zonas rurales y
de la simpatía política del Partido Comunista y de muchos iz-
quierdistas independientes[137]. El ELN también es un grupo
grande con una influencia rural considerable, especialmente
en los sindicatos y en las organizaciones políticas.

En 1990 se unieron las FARC, el ELN y una pequeña disidencia del EPL para formar la Coordinadora Guerrillera Simón Bolívar, CGSB; puesto que los tres grupos expresaron su
interés en los diálogos de paz, el gobierno les ofreció reservar-
les un lugar en la Asamblea Nacional Constituyente a los representantes de las FARC, el ELN y el EPL que habían comenzado ya el proceso de negociación. El gobierno insistió en los
mismos términos que le había planteado primero al M-19 y
luego al EPL, pero la CGSB rechazó la condición principal del
gobierno, consistente en un cese unilateral del fuego. El 9 de
diciembre de 1990, día en que se surtieron las elecciones para
la Asamblea Nacional Constituyente, el Ejército bombardeó y

---

137   Para una historia inmejorable del más antiguo grupo guerrillero en
      América Latina, *véase* Eduardo Pizarro Leongómez (con la colaboración
      de Ricardo Peñaranda) , *Las FARC (1949-1966): De la autodefensa a la
      combinación de todas las formas de lucha,* Iepri-UN y Tercer Mundo
      Editores, Bogotá, 1991.

se tomó la sede de la comandancia de las FARC en Casa Verde, cerca de La Uribe. El ataque no proporcionó ninguna ventaja militar definida, porque las FARC lograron resistir primero y retirarse ordenadamente después. Muchos colombianos consideraron que el ataque simbolizaba la posición tibia del gobierno respecto de las negociaciones de paz o, por lo menos, su actitud inflexible de seguir un solo camino hacia la paz.

Tanto el ELN como las FARC respondieron con contragolpes a la ofensiva del Ejército. En diciembre de 1990 y enero de 1991 aumentaron su actividad militar; el 5 de febrero de 1991, día en que la Asamblea Nacional Constituyente comenzaba sus deliberaciones, la guerrilla lanzó una ofensiva generalizada que se mantuvo durante casi todo el año de 1991. Las estadísticas de los defensores de derechos humanos demuestran que hubo un aumento significativo en los operativos militares, tanto de parte del Ejército como de parte de la guerrilla, y que esa tendencia continuaba a comienzos de 1992[138]. Los ataques guerrilleros a las instalaciones militares y los bombardeos sin víctimas civiles, también aumentaron durante 1991.

El gobierno aseguró, en octubre de 1991, que diariamente se presentaban entre cinco y seis ataques guerrilleros; el Cinep calcula que para octubre la cifra era de tres ataques diarios[139]. Según los miembros del gobierno, el aumento en la actividad guerrillera también provocó un aumento en la ofensiva paramilitar en el primer trimestre de 1991, fenómeno que puede explicar los 52 asesinatos y 14 desapariciones denunciados por la UP durante esos tres meses.

---

138 Las muertes de los soldados, los policías y los civiles atrapados en la línea de fuego, así como de los guerrilleros en situaciones de combate, contribuyeron al aumento de las muertes por causas políticas en 1991. Según el Cinep, la categoría de "muertes en combate" contenía 1.362 víctimas en 1991; en los años anteriores, las estadísticas iniciales de esta categoría eran de 500 a 600 muertos. Cinep, entrevista, Bogotá, octubre de 1991. *Véase* también, Comisión Intercongregacional de Justicia y Paz, *Boletín Informativo*, Vol. 4, No. 4, octubre-diciembre de 1991.

139 Cinep, entrevista, octubre de 1991.

El gobierno mantuvo sus condiciones para los diálogos de paz hasta febrero de 1991, cuando anunció su disposición de reunirse con la CGSB, a pesar de la inexistencia del cese unilateral de fuego. La guerrilla también comunicó su interés en dialogar y propuso que la Iglesia Católica actuara de intermediaria para acordar los términos de la primera reunión. Por medio de la Iglesia, la CGSB exigió medidas de seguridad para sus delegados (a lo cual el gobierno accedió) y propuso que la primera reunión se llevara a cabo en Casa Verde, la cual había sido sede de la comandancia de las FARC durante varios años, hasta el ataque del Ejército en diciembre de 1990. El gobierno respondió que estaba dispuesto a reunirse en cualquier lugar donde no se estuvieran desarrollando operativos militares. La CGSB exigió entonces que la reunión se hiciera en Bogotá, pero el gobierno respondió que le resultaba imposible evitar que un juez de la República intentara hacer efectivas algunas órdenes de captura contra los miembros de la Coordinadora. La Iglesia emitió entonces un comunicado en el cual manifestaba, sin culpar a ninguna de las partes, que sus esfuerzos de mediación habían fracasado.

A pesar del fracaso temporal de los intentos de diálogo, el gobierno sí le brindó varias concesiones a la guerrilla. En primer lugar, accedió a reunirse sin que se cumpliera la condición del cese al fuego. En segundo lugar, desechó la idea de acordar una agenda de negociación antes de reunirse. Básicamente, el gobierno continuó ofreciendo la posibilidad de reunirse en cualquier lugar, siempre y cuando no tuviese que suspender ninguna obligación constitucional, con lo cual se refería a la obligación gubernamental de perseguir a la guerrilla. El gobierno ofreció, en su lugar, inmunidad contra la detención durante cinco días antes y cinco días después de la reunión[140]. El 30 de abril de 1991, tres dirigentes de la Coordinadora Guerri-

---

140 Entrevistas al ministro de Gobierno, Humberto de la Calle Lombana, y al entonces consejero presidencial para la Paz, Jesús Antonio Bejarano, en Bogotá, abril de 1991.

llera ingresaron a la Embajada de Venezuela en Bogotá e intentaron iniciar el diálogo con el gobierno. El ministro de Gobierno se negó a dialogar bajo presión y los tres guerrilleros viajaron hacia Caracas amparados con un asilo. El gobierno le ordenó inmediatamente al embajador de Colombia en Caracas ponerse en contacto con los guerrilleros para plantear las condiciones de las negociaciones[141]. En mayo se reunieron los diferentes delegados en Cravo Norte, Arauca, y aceptaron comenzar las negociaciones a partir del 1º de junio en Caracas[142].

Durante la tercera ronda de negociación en septiembre, la Coordinadora Guerrillera propuso un cese bilateral del fuego y la delimitación de ciertas zonas de las cuales quedarían excluidas las fuerzas estatales. El gobierno rechazó la propuesta, argumentando que el Ejército tendría que retirarse de un 30% del territorio colombiano[143].

Las conversaciones de Caracas continuaron hasta el final de 1991, sin que se lograra un cese al fuego. A pesar de ello, los diálogos demostraban una mínima esperanza de poder lograr la paz en Colombia. A lo largo de 1991, el gobierno se alejó del esquema rígido de negociación que había logrado mantener con el M-19 y el EPL; por su parte el ELN, que anteriormente se había mostrado hostil hacia cualquier forma de diálogo, había comenzado conversaciones con el gobierno.

Si en el futuro se quiere que las conversaciones sean exitosas, es indispensable que haya confianza de parte y parte. La participación del M-19 y el EPL en la actividad política debería ser alentadora, a pesar de que en las elecciones de octubre la Alianza Democrática no obtuvo un triunfo tan significativo como en las elecciones para la Asamblea Nacional Constituyente.

141 Cinep *et al.*, *Actualidad Colombiana*, No. 82, 1-14 de mayo de 1991, p. 1.
142 Cinep *et al.*., *Actualidad Colombiana*, No. 83, 14-28 de mayo de 1991.
143 "La propuesta de la Coordinadora", *El Espectador*, 11 de septiembre de 1991; "No a la desmilitarización del 30 por ciento del país", *El Espectador*, 18 de septiembre de 1991.

El gobierno expidió una amnistía temporal y compleja que aplicó sin mayores dificultades a los guerrilleros desmovilizados del M-19, el EPL y el Quintín Lame, con el fin de brindarle seguridad a los grupos que se quisieran desmovilizar. En agosto de 1991, el gobierno expidió el decreto 1943 según el cual los guerrilleros contaban con un período de nueve meses para someterse al perdón y la amnistía por los delitos cometidos antes de la entrada en vigor de la nueva Constitución el 4 de julio de 1991. Al igual que con otros procesos, los guerrilleros tienen derecho al perdón y a la amnistía, únicamente si el gobierno certifica que el grupo al cual pertenece el insurgente o el guerrillero en sí han demostrado una verdadera voluntad de paz. El beneficio no incluye las atrocidades ni los delitos cometidos fuera de combate, como tampoco aquellos que se cometieron aprovechando una situación de indefensión de la víctima.

Para que el proceso de paz funcione, el gobierno también tiene que tomar medidas encaminadas a garantizar la seguridad física de quienes entregan sus armas y se reincorporan a la vida civil. El gobierno le ofreció protección individual a cada uno de los 200 miembros del M-19 que se desmovilizaron. Sin embargo, al negociar con el EPL, un grupo considerablemente más grande, solo ofreció protección a sus dirigentes más notorios. La seguridad de los demás excombatientes está en sus propias manos: depende primordialmente de la distensión de las regiones donde operaban. El asesinato del exguerrillero desmovilizado y candidato presidencial Carlos Pizarro, a pesar de estar recibiendo protección del DAS, difícilmente le puede asegurar tranquilidad a los miembros de las FARC o del ELN que quieran entregar sus armas.

Independientemente de este espectacular asesinato, los hechos demuestran que la protección de los exguerrilleros del M-19 y del EPL fue, cuanto menos, confusa. En febrero de 1992, el consejero presidencial para la Defensa y Seguridad Nacional, Ricardo Santamaría y el excomandante guerrillero Carlos Franco, aseguraron que ochenta exguerrilleros han sido asesinados, incluyendo a varios comandantes medios[144]. Un vocero del EPL le dijo a Americas Watch que durante las conversaciones con el gobierno —cuando había cese al fuego pero la guerrilla mantenía sus armas— había habido una serie de incidentes graves. Diez combatientes del EPL fueron asesinados en diciembre de 1990 en Naranjillos, Urabá, y otros cuatro miembros del EPL fueron asesinados por la Policía en la vereda de Zipadonga un mes más tarde. Después de la firma de los acuerdos, dos más fueron asesinados al sur del departamento del Cesar. El dirigente sindical de Indupalma asesinado en San Alberto en abril de 1991 (*véase* el Capítulo 2) también era simpatizante del EPL. En enero de 1992, otro sindicalista y miembro del grupo Esperanza, Paz y Libertad, conformado en su mayoría por exguerrilleros del EPL, fue asesinado junto con tres sindicalistas más en Urabá, supuestamente por una disidencia del grupo[145].

Los asesinatos de los excombatientes del EPL demuestran que no todas las amenazas contra su seguridad personal provienen del Ejército o los grupos paramilitares. A pesar de que en un principio no fue notorio, los dos guerrilleros asesinados en el Cesar son víctimas de las FARC, por política misma de la organización. Además, una joven miembro del EPL fue asesinada al regresar a su vereda por asaltantes desconocidos. El dirigente del EPL entrevistado por Americas Watch afirmó que para la mitad de los miembros de la organización, regresar a su tierra de origen resulta imposible[146].

Un dirigente del M-19 también nos informó que, a finales de enero de 1991, había desaparecido uno de sus excombatientes en el departamento del Cesar y que ellos sospechaban que la autoría de la desaparición era de las FARC. Un importante dirigente del M-19 fue asesinado en Puerto Tejada, Cauca, en

144 Douglas Farah, "Peace Poses Problems for Former Guerrillas", *The Washington Post*, 23 de febrero de 1992.

145 *El Tiempo*, 30 de enero de 1992, citado en *Foreign Broadcast Information Service*, 4 de febrero de 1992, p. 34.

146 Álvaro Villarraga Sarmiento, entrevista personal, Bogotá, abril de 1991.

abril, aparentemente por sicarios. Un médico que se había unido a la AD/M-19 después de los acuerdos de paz, fue asesinado en Valledupar en el mes de marzo, al día siguiente en que otro exmiembro del EPL también había sido asesinado allí. El dirigente del M-19 que entrevistamos considera que estos incidentes eran probablemente una reacción de algunos dirigentes políticos y terratenientes locales por el triunfo de la Alianza en las elecciones para la Asamblea Nacional Constituyente. También estuvo de acuerdo en que la Alianza estaba intentando darle una importancia menor a los asesinatos, con el ánimo de eludir las disculpas para nuevos enfrentamientos militares y evitar minimizar los triunfos que ya habían sido obtenidos. Por otra parte, sugirió que los grupos de derecha que estaban detrás del asesinato de Carlos Pizarro (que incluyen a oficiales retirados del Ejército, algunos civiles poderosos y miembros activos del Ejército y la Policía) habían pagado un precio político por el asesinato: el papel del M-19 como víctima le permitió conseguir mayor apoyo para la campaña presidencial del que hubiera logrado en otras circunstancias, y mejorar su protagonismo para las elecciones de la Asamblea Nacional Constituyente. Si dicha teoría es cierta, significa que los dirigentes regionales del M-19 corren un peligro mayor que Antonio Navarro Wolf, el sucesor de Pizarro[147].

La tesis pudo ser corroborada como consecuencia del asesinato de dos dirigentes del M-19 a comienzos de enero de 1992. Jafed Ortiz fue asesinado el 10 de enero por dos hombres que irrumpieron violentamente en su casa en Magangué, al norte del país; sus colegas afirmaron que Ortiz había recibido amenazas y había solicitado protección a las autoridades. El día antes del asesinato de Ortiz, pistoleros mataron a Carlos Édgar Torres Aparicio, un candidato a la Asamblea Nacional Constituyente de la AD/M-19 del Valle del Cauca[148].

147   Everth Bustamante, entrevista personal, Bogotá, abril de 1991.
148   EFE, "AD/M-19 Leader Shot to Death in Magangué", citado en Foreign Broadcast Information Service, 13 de enero de 1992, p. 44.

Un representante del Cinep nos informó en octubre de 1991 que, desde enero de ese año, tenía estadísticas acerca de catorce violaciones contra los miembros del M-19, de las cuales siete eran asesinatos, algunas con posible autoría de las FARC o el ELN. Los datos no incluían a tres antiguos miembros del M-19 que habían estado involucrados en un hurto a mano armada y habían muerto en un enfrentamiento con la Policía en Ibagué. Entre noviembre de 1991 y febrero de 1992, el Cinep tuvo información de otros siete asesinatos de miembros del M-19.

Respecto del EPL, el Cinep tiene datos de treinta y dos violaciones, incluyendo dieciocho asesinatos y siete desapariciones; entre noviembre de 1991 y febrero de 1992 hubo diecisiete asesinatos y tres desapariciones más. La mayoría de las muertes han ocurrido en Urabá, considerado como un fortín del EPL. Tres de los asesinatos se le atribuyen a las FARC y algunos eran de origen dudoso, pero la mayoría fueron cometidos por los organismos de seguridad[149]. Con base en estos datos y pensando en la alta probabilidad de que los crímenes aumenten, consideramos que le corresponde al gobierno tomar nuevas iniciativas para garantizar la seguridad física de quienes abandonan la lucha armada.

El gobierno propuso, como elemento adicional al proceso de paz, la expansión del Plan Nacional de Rehabilitación, Normalización y Reconstrucción, PNR. El PNR había sido establecido durante el gobierno de Barco para brindar apoyo a los antiguos combatientes y a las regiones devastadas por la violencia, mediante el financiamiento de proyectos de autoconstrucción. A comienzos de 1992, el gobierno creó la Consejería de Política Social con el fin primordial de manejar los guerrilleros desmovilizados y nombró a Gilberto Echeverry Mejía, exgobernador de Antioquia, como consejero. Echeverry es un industrial bien reputado. La Consejería remplazará y mejora-

---

149   Diego Pérez, Programa de derechos humanos, Cinep, entrevista en octubre de 1911; Cinep, carta a Américas Watch, 10 de marzo de 1991.

rá al antiguo PNR y presumiblemente tendrá un mayor alcance político y administrativo.

En enero de 1992, Gaviria aceptó la renuncia del consejero para la Paz, Jesús Antonio Bejarano, quien había supervisado los diálogos con la CGSB. A Bejarano se le había acusado de ser excesivamente rígido en los diálogos, a pesar de que gracias a sus indicaciones el gobierno moderó varias de sus posiciones, incluyendo la del cese al fuego. Aun así, las declaraciones públicas de Bejarano respecto de la voluntad de paz de las FARC y el ELN poco sirvieron para superar los obstáculos que se presentaron durante todo el año 1991 y que aún continúan durante la redacción del presente Informe. Hacia el final de 1991, se escucharon voces en toda Colombia solicitándole al gobierno "diálogos regionales" para crear las bases de una distensión en ciertas zonas y asegurar una mayor confianza para lograr un acuerdo más comprensivo. La posición del gobierno, encabezado por Bejarano, fue la de negarse a perder el monopolio de los contactos y los diálogos con cualquier organización guerrillera, a pesar de que no se desestimulaba ningún esfuerzo espontáneo para lograr una distensión.

A pesar de la dura reputación de Bejarano, durante su período el gobierno hizo un gran número de concesiones que con anterioridad no había siquiera considerado. Por una parte, accedió a que la guerrilla designara sesenta zonas en el país para después del cese al fuego[150]; a dialogar por fuera del país; a tener una veeduría internacional de los diálogos; a brindar condiciones excepcionales para su participación en las elecciones; a dialogar sin tener pruebas externas de la voluntad de la guerrilla (es decir, sin cese al fuego); y por último, a permitirles circular entre sus zonas de concentración sin necesidad de portar las armas. Mientras el objetivo primordial del gobierno parecía ser el cese al fuego, la Coordinadora Guerrillera estaba

---

150   No existía esta posibilidad para la guerrilla antes del cese al fuego.

más interesada en dialogar acerca de las reformas económicas y sociales y la desmilitarización[151].

Inmediatamente después de la renuncia de Bejarano, el gobierno nombró a Horacio Serpa Uribe, un exprocurador general, exministro de Gobierno y exconstituyente, como consejero presidencial para la Paz. Al escoger a uno de los dirigentes más importantes del Partido Liberal, parecía que Gaviria quería renovar su intención de negociar. Al aceptar una tarea compleja y desgastadora, Serpa puso en peligro su propia carrera política. Después de que Rafael Pardo fue nombrado ministro de Defensa en agosto de 1991, Gaviria nombró a Ricardo Santamaría quien había asistido a Pardo en las negociaciones con el M-19, como consejero para la Defensa y Seguridad Nacional. Los nombramientos de Pardo, Santamaría, Serpa y Echeverry para cargos de tan alta responsabilidad demuestran que Gaviria le da prioridad al tema de la paz.

Aun así, los esfuerzos de diálogo a comienzos de 1992 se vieron frustrados. Antes de reanudar las conversaciones de febrero en Caracas, los combates aumentaron y el gobierno denunció la falta de buena fe de parte de la guerrilla. Mientras tanto, Daniel García, uno de los negociadores de las FARC, desapareció desde comienzos de febrero, y hasta la redacción del presente Informe se desconoce su paradero[152].

Las perspectivas de paz no contaban con buen clima desde que algunas unidades del EPL secuestraron en enero al dirigente del Partido Conservador y exministro de Trabajo, Argelino Durán Quintero[153]. A pesar de que las negociaciones fueron reanudadas en Méjico en marzo (el lugar cambió, después

---

151 Comisión Andina de Juristas, *Informativo Andino*, No. 64, 9 de marzo de 1992, p. 3; "Doce propuestas para construir una estrategia de paz", *El Colombiano*, 13 de marzo de 1992.

152 Comisión Andina de Juristas, *Informativo Andino*, p. 3.

153 Adrian Croft, "Ex-Minister's Death Plunges Colombia Peace Talks into Crisis", *Reuters*, 22 de marzo de 1992; y *El Tiempo*, 11 de febrero de 1992, citado en *Foreign Broadcast Information Service*, 18 de febrero de 1992.

del intento de golpe en Venezuela en el mes de febrero), se suspendieron de nuevo después de que el exministro Durán, quien sufría del corazón, murió en poder de sus secuestradores. Un comunicado de la CGSB emitido después del fallecimiento de Durán, manifestaba lo "desafortunada" que había sido su muerte, pero consideraba que no debería servir de pretexto para romper los diálogos[154]. Americas Watch condena su muerte en cautiverio y hace un llamado para que la CGSB castigue a quienes secuestraron y mantuvieron en cautiverio a Durán, violando así las normas del Derecho Internacional Humanitario.

B. LA COMISIÓN PARA LA SUPERACIÓN DE LA VIOLENCIA

El acuerdo de paz suscrito entre el gobierno, el EPL y el Quintín Lame contemplaba la realización de un estudio independiente para analizar las raíces de la violencia en las zonas donde dichos grupos habían permanecido activos. El estudio fue conducido por la Comisión para la Superación de la Violencia y merece una mención especial. Fue dirigido por Alejandro Reyes, un científico social del Instituto de Estudios Políticos y Relaciones Internacionales, Iepri, de la Universidad Nacional de Colombia, uno de los centros de investigación más prestigiosos del país. La Comisión además la integraban el padre Francisco de Roux, director del Cinep; Gustavo Gallón, director de la Comisión Andina de Juristas-Seccional Colombiana; Eduardo Pizarro, también del Iepri; Roque Roldán, director del Centro de Cooperación con los Indígenas, Cecoin; y Eduardo Díaz Uribe, exministro de Salud y exdirector del PNR.

El gobierno facilitó el estudio, suministrando fondos de apoyo y acceso a las entidades de las diferentes regiones. De

---

154   *El Tiempo*, citado en *Foreign Broadcast Information Service*, 26 de marzo de 1992, p. 21.

ello estuvieron encargadas las consejerías para la Paz y para los Derechos Humanos. El 22 de enero de 1992, la Comisión hizo entrega de un informe extensivo al gobierno, el cual será publicado pronto por el consejero presidencial para los Derechos Humanos. El informe fue publicado bajo el título "Pacificar la Paz", y editado por los seis comisionados, con base en el trabajo de campo hecho por cinco investigadores bajo la coordinación de Olga Cecilia Pinilla.

El informe se convierte en una ayuda importante para comprender el fenómeno de la violencia política en Colombia. Su tesis principal se centra en que, debido a que la violencia tiene diferentes fuentes y manifestaciones, las soluciones que se planteen deberán también ser específicas para cada una de sus expresiones.

Además, el informe identifica a los generadores de la violencia en las zonas donde se llevó a cabo la investigación a pesar de que habían transcurrido varios meses desde que los combates habían terminado y se habían firmado los acuerdos de paz. Algunos de los actores eran combatientes del EPL que se habían negado a incorporarse al proceso de paz y luchan ahora bajo la CGSB, así como contingentes de las FARC y el ELN que han intentado asumir el control de las zonas abandonadas por los grupos que se acogieron a la propuesta de paz del gobierno. En algunas de estas zonas, los guerrilleros se benefician del narcotráfico mediante la recolección de "impuestos de guerra" y "tarifas de protección" de los narcotraficantes[155].

Los demás señalados como responsables de la violencia son los grupos paramilitares y de "justicia privada" que operan principalmente bajo las órdenes de los terratenientes y, cada vez más, bajo la dirección de los narcotraficantes. Se afirma además que desde que se hizo el esfuerzo por deslegitimar a los grupos paramilitares en 1989, algunos de ellos se han convertido en bandas involucradas en delincuencia co-

---

155 Comisión de Superación de la Violencia, "La violencia que no se negoció en los Acuerdos de Paz".

mún; a pesar de ello, la actividad paramilitar continúa[156]. También se cometen actos ilegítimos de violencia de parte de las fuerzas armadas y de los agentes de inteligencia del Estado.

Son varias las razones señaladas en el informe para que continúen las violaciones a los derechos humanos: 1) el hecho de que las protestas sociales sean tratadas como una actividad criminal; 2) que las fuerzas militares y de policía asuman funciones que les corresponden a los jueces y fiscales; 3) el aseguramiento de la impunidad mediante una equívoca interpretación de la competencia de la justicia militar; 4) la colaboración ilegal entre los grupos paramilitares y los oficiales militares; y 5) la respuesta insuficiente del Ejecutivo. Respecto del último punto el informe insiste en que el gobierno debería responsabilizar políticamente a los altos oficiales por la continuidad de los patrones de violencia en las regiones bajo su mando y llamarlos a calificar servicios si no pueden o no están dispuestos a disminuir las violaciones a los derechos humanos[157].

Por otra parte, se insiste en que el gobierno le dedique atención especial a la pacificación de las zonas estudiadas, como mecanismo para consolidar los acuerdos de paz ya firmados y para brindar credibilidad a las negociaciones con la CGSB. Para ello, el informe ofrece una lista larga de valiosas recomendaciones. Por ejemplo, insiste en la redefinición de la política de los "diálogos regionales" en los cuales la sociedad civil participa en la creación de las condiciones de paz. La Comisión apoya también la decisión tomada por el gobierno en el sentido de fortalecer el PNR y recomienda una nueva inversión de recursos para la rehabilitación de las zonas devastadas por la violencia, con la participación de las comunidades desplazadas. Además insiste en una pronta solución a los recla-

---

156   *Ibíd.*, p. 2.
157   *Ibíd.*, p. 2.

mos de los indígenas sobre las tierras adjudicadas en los procesos de reforma agraria, de tal manera que dichas tierras no sean vendidas a grandes terratenientes o a narcotraficantes que traen consigo más violencia a la zona.

El informe insiste en la necesidad de desvertebrar los grupos paramilitares. Respecto de la impunidad generalizada por las violaciones a los derechos humanos, la Comisión propone la creación de un grupo de trabajo que incluya miembros del gobierno y miembros de la sociedad civil; dicho grupo de trabajo estaría encargado de identificar los casos más notorios, determinar su situación jurídica y los obstáculos procesales que impiden una investigación exitosa, contribuir a la recolección de pruebas, y supervisar el desarrollo de los procesos en la Rama Judicial, insistiendo además, en el fortalecimiento de la justicia civil y la aplicación restrictiva de la justicia militar[158]. Por último, enfatiza que el gobierno debe llamar a calificar servicios a los oficiales comprometidos en comprobadas violaciones a los derechos humanos, aun cuando no sea posible condenarlos en un proceso penal.

La Comisión para la Superación de la Violencia fue un experimento valioso para la determinación de los orígenes mismos de la violencia, en el cual participaron miembros de la sociedad civil quienes señalaron con exactitud los complejos problemas de la violencia política. Consideramos que un factor determinante para su éxito fue la participación de un importante científico social y de dos de los más distinguidos defensores de derechos humanos del país. El gobierno debe hacer un gran esfuerzo por acatar las recomendaciones de la Comisión, así como por buscar los mecanismos para efectuar futuras consultas a los analistas independientes con el fin de solucionar los graves problemas sociales del país.

C. VIOLACIONES A LAS LEYES DE LA GUERRA POR LAS FARC Y EL ELN

En el Capítulo 2 comentamos un ataque muy grave a un equipo judicial en Usme, Cundinamarca. Desafortunadamente, este ataque —catalogado como un "error" por los responsables— no es el único ejemplo de las violaciones que las FARC y el ELN cometen frente a sus obligaciones de Derecho Internacional Humanitario. A continuación, mencionamos otros ejemplos.

La fuente principal de financiamiento de las operaciones guerrilleras continúa siendo los "impuestos" que cobran a las personas más adineradas de las zonas donde operan. Tal como comentamos en nuestros Informes anteriores, en algunos casos dichas contribuciones provienen de los narcotraficantes. Si la contribución fuese voluntaria, no existiría una violación a las leyes de la guerra. Sin embargo, el hecho es que tanto las FARC como el ELN imponen su "impuesto" por medio de secuestros a algunos de los miembros de las familias más solventes, a cambio de una alta suma de dinero por su rescate. Para efectos del Derecho Internacional Humanitario, dichos secuestros equivalen a la toma de rehenes, práctica que está estrictamente prohibida[159]. Las principales víctimas de los secuestros son los civiles, que en ningún momento están tomando una parte activa en las hostilidades, pero que como tal gozan de la protección establecida en las leyes de la guerra.

Fueron tantos los secuestros cometidos durante el final de 1990 y a lo largo de 1991, que no cabe duda de que esta violación a las leyes de la guerra forma parte de una política definida y deliberada, ordenada al más alto nivel de comandancia de los grupos guerrilleros. Según las estadísticas del Cinep, 95 casos de secuestro atribuibles a la guerrilla fueron reportados

---

159 La sección 1(b) del Artículo 3, común a los cuatro Convenios de Ginebra de 1949, prohíbe de manera expresa la toma de rehenes, como también lo prohíbe el artículo 34 del IV Convenio (referente a la protección de la población civil en tiempo de guerra).

entre enero y septiembre de 1991; el Cinep también contabilizó otros 38 casos adicionales atribuibles a la guerrilla, entre noviembre de 1991 y febrero de 1992. Además de los 95 casos en los cuales se tenía certeza acerca de la autoría del secuestro, el Cinep tiene catalogados otros 209 casos como "presumiblemente" cometidos por la guerrilla[160].

A comienzos de 1992, los secuestros continuaron. Unidades de las FARC secuestraron, a comienzos de febrero, al comerciante japonés Koji Nakagawa, quien estaba trabajando como consultor de Telecom. Nakagawa fue liberado después de que la guerrilla recibió una suma estimada por la policía en medio millón de dólares por su rescate[161]. En marzo también fue liberado el ingeniero estadounidense Michael James, quien había sido secuestrado por las FARC el 6 de febrero en el departamento de Antioquia. En el momento no hubo ninguna información acerca del pago de una suma de dinero por su rescate[162].

Los guerrilleros también secuestran alcaldes, personeros municipales y otras autoridades gubernamentales, no con el fin de obtener una suma de dinero, sino con el propósito de presionar para que la toma de una decisión favorezca a la comunidad

---

160 Cinep, entrevista en Bogotá, octubre de 1991; Cinep, carta a Americas Watch, 10 de marzo de 1992.

En Colombia, el secuestro extorsivo es también un fenómeno delictual permanente. El Cinep calcula que durante el lapso transcurrido entre enero y septiembre de 1991, las bandas de delincuentes comunes cometieron entre 700 y 1.000 secuestros extorsivos. La Policía colombiana, por su parte, informó que en 1991 ocurrieron 1.716 secuestros en total. *Véase* "4.747 Kidnappings Reported in Colombia in Five-Year Period", *Notimex*, 6 de abril de 1992. No es fácil, como con otros casos, clasificar el hecho como un crimen político o un crimen común. En algunos casos, los secuestradores se hacen pasar por un grupo guerrillero para entorpecer la investigación. El Cinep no incluye dentro de su listado de secuestros cometidos por la guerrilla, aquellos en los que se tiene certeza de que no hubo ningún tipo de participación guerrillera.

161 *Reuters*, "Half a Million Dollars in Ransom Paid for Japanese Release", 24 de febrero de 1992.

162 *Agence France Press*, "U.S. Engineer Released by FARC Captors", en *Foreign Broadcast Information Service*, 4 de marzo de 1992, p. 33.

campesina que la guerrilla considera su "base social". Bajo las
leyes de la guerra, las autoridades civiles también constituyen
objetivos ilegítimos. Según el Cinep, los secuestros de este tipo
han sido de corta duración, especialmente desde el inicio de las
conversaciones entre el gobierno y la CGSB en junio de 1991[163].

Así mismo, la guerrilla ejecuta a los civiles que considera
"informantes" del Ejército, también como una política previa-
mente establecida. En tales casos, la guerrilla se atribuye el
asesinato porque tiene interés en sentar el precedente para los
demás. Otras veces, justifican los ataques a los civiles argumentando que la víctima era un "promotor" de los grupos paramilitares. Estos casos de ejecuciones sumarias constituyen violaciones graves a las leyes de la guerra. Los informantes del
Ejército y los colaboradores de los grupos paramilitares son civiles que no toman parte activa en las hostilidades y que, como
tal, están protegidos de cualquier ataque. De igual forma, los
campesinos que asisten a la guerrilla no constituyen objetivos
legítimos para los organismos de seguridad o para los grupos
de "autodefensa", aun cuando dicha colaboración pueda consti-
tuir una conducta sancionable bajo el régimen jurídico interno.

El 22 de julio de 1991, la CGSB secuestró a Alirio Beltrán
Luque, político conservador y alcalde de El Carmen, departamento de Santander. Sus secuestradores lo acusaron de promover los grupos paramilitares que operan en la zona. Su cadáver fue hallado al día siguiente[164].

Un contingente de quince hombres del ELN asesinó en la
vereda Nueva Esperanza de María la Baja, departamento de
Bolívar, a Élver González Lemus, Antonio Ramos Padilla y
Santander Barrios Rocha, acusándolos de ser informantes del
Ejército[165].

---

163 Cinep, entrevista en Bogotá, octubre de 1991.
164 Comisión Intercongregacional de Justicia y Paz, *Boletín Informativo*,
     Vol. 4, No. 2, abril-junio de 1991, p. 18.
165 Comisión Intercongregacional de Justicia y Paz, *Boletín Informativo*,
     Vol. 4, No. 1, enero-marzo de 1991, p. 14.

El XXI Frente de las FARC envió el 3 de enero de 1991 a un grupo de hombres para que asesinaran en El Limón, Chaparral, departamento del Tolima, a María Lasso de Guzmán, Manuel y Didier Guzmán y a una persona sin identificar. De nuevo, los acusaron de ser informantes del Ejército[166].

El alcalde de Puerto Berrío, Fernando León Zuluaga, un activista del Partido Liberal, fue asesinado por dos hombres el 5 de enero de 1991, en el interior de un almacén de su propiedad en Barrancabermeja, departamento de Santander. Una llamada anónima recibida dos horas después por una emisora de radio de Puerto Berrío le atribuía el asesinato al Frente "Guadalupe Salcedo" de las FARC. Las fuentes militares afirman que el señor Zuluaga había recibido amenazas de la guerrilla[167].

El 4 de febrero de 1992, el XXIV frente de las FARC le solicitó a Jairo Portilla del Partido Liberal, y a Arturo Camacho de la Unión Patriótica, que comparecieran (según lo aseguran sus familiares) a una reunión que tenía como finalidad discutir "asuntos" de Yondó. Los cadáveres de los dos civiles fueron encontrados ese mismo mes en el río Magdalena[168].

El 10 de enero de 1991, el XXIII Frente de las FARC estableció un retén en la carretera que de Barrancabermeja conduce a Bucaramanga y quemó varios vehículos. María del Rocío Jaramillo se negó a detenerse y los guerrilleros le dispararon, asesinándola e hiriendo a un pasajero de su automóvil. Otra versión afirma que la señora Jaramillo murió de un ataque cardíaco[169]. Americas Watch considera que dispararle a un vehículo civil resulta injustificado bajo cualquier circunstancia —y por lo tanto violatorio de las leyes de la guerra.

Antes de concluir su acuerdo de paz con el gobierno, el EPL estableció un retén el 19 de enero de 1991, en Irra, municipio de Quinchía, departamento de Risaralda. Los guerri-

166 *Ibíd.*, p. 15.
167 *Ibíd.*, p. 15.
168 CAJ-SC, carta a Americas Watch, 12 de marzo de 1992.
169 *Ibíd.*, p. 24.

lleros detuvieron varios vehículos y quemaron cuatro de ellos. Además, retuvieron a dos pasajeros de un bus; el cadáver de uno de ellos apareció en el río Cauca[170].

El ELN asesinó el 13 de enero de 1990 a José Manuel Parra, un celador de un matadero en San Rafael, cerca de Barrancabermeja[171]. A pesar de que los objetivos económicos pueden considerarse legítimos dentro de una situación de combate (salvo si su destrucción trae consigo consecuencias catastróficas para la población), los medios con los cuales se efectúa el ataque están restringidos por la obligación de minimizar los daños a los civiles y hacer un balance de la necesidad militar de atacar el objetivo, frente a los riesgos que corren los civiles. La Comisión Andina de Juristas–Seccional Colombiana estimó que en la primera mitad de 1991 se produjeron cien ataques a oleoductos, la mayoría de los cuales sucedieron en la región del Magdalena Medio[172].

---

170 *Ibíd.*, p. 26.

171 CAJ-SC, "Estudio sobre derechos humanos en el Magdalena Medio y el Nordeste Antioqueño", Bogotá, 1991 (mimeo).

172 *Ibíd.*, pp. 88-89. La CAJ-SC examina los ataques a la luz del Derecho Internacional Humanitario, hasta concluir con argumentos sólidos, que la destrucción de las instalaciones petrolíferas es un acto ilegítimo: no existe una ventaja militar definida con los ataques, además de que resultan en la pérdida de empleo para los civiles, causan tragedias ambientales y siembran terror entre la población. La CAJ-SC critica la destrucción de los buses de transporte público a manos de la guerrilla, por las mismas razones (pp. 89-90).

Las leyes de la guerra brindan un amplio espectro de lo que puede considerarse un objetivo "económico" (y por lo tanto legítimo). El empleo de la regla de la proporcionalidad parece necesaria; sin embargo se debe evaluar cada caso, con el fin de determinar la legitimidad del ataque. Sobra decir que a pesar de que el Derecho Internacional Humanitario pueda considerarlas como legítimas, dichas acciones tipifican delitos en el ordenamiento interno colombiano.

Estamos de acuerdo con la CAJ-SC en que los repetidos ataques del ELN contra los oleoductos e instalaciones petroleras le causan un enorme perjuicio a la población civil, al tiempo que dejan de brindar ventaja militar alguna. Después de más de una docena de dichos ataques, al ELN le corresponde demostrar la regla de proporcionalidad.

Un ejemplo claro en el cual el ELN violó la regla de proporcionalidad establecida por el derecho internacional humanitario lo constituyen los disparos que proporcionó el 16 de septiembre de 1990, contra un bus de pasajeros que viajaba de Barrancabermeja a Cimitarra. El bus transportaba tanto a civiles como a catorce soldados del Batallón Rafael Reyes. Quince hombres del ELN dispararon sobre el bus en un lugar denominado Campo Capote, con el ánimo de detenerlo. Como consecuencia, seis civiles y un soldado murieron y el ELN detuvo a otros dos civiles y a dos soldados[173].

La presencia de los soldados no convierte automáticamente a un vehículo de transporte público en un objetivo militar. Los atacantes están obligados en todo momento no sólo a minimizar los daños sufridos por los civiles, sino a crear los medios para lograr este objetivo (en este caso aislando a los catorce soldados) sin poner en peligro la vida de los civiles.

Se considera que todos aquellos que toman parte activa en las hostilidades son objetivos militares legítimos. En Colombia esto significa que, como regla general, el Ejército y la Policía constituyen objetivos legítimos. Debe anotarse, sin embargo, que la mera pertenencia a las fuerzas de seguridad no es suficiente. Desde nuestro punto de vista, un ataque a un agente de la policía que dirige el tráfico, por ejemplo, no es un ataque legítimo, toda vez que no se encuentra tomando parte activa en las hostilidades.

El 19 de noviembre de 1990, el II Frente de las FARC cometió una seria violación en Algeciras, departamento del Huila. La unidad guerrillera atacó un vehículo de la policía que transportaba a nueve menores de edad, pertenecientes a la Policía Cívica de Algeciras. Seis de los niños murieron y los tres restantes fueron heridos. Tanto la Policía Cívica como los "Niños Policías" son un esfuerzo que la Policía Nacional hace para estrechar sus vínculos con la comunidad; los niños así

---

173 *Ibíd.*, p. 127.

reclutados por lo general participan en proyectos de cooperación cívica y en ningún momento tienen relación alguna con la
función regular de policía. En este caso, los niños regresaban
después de haber ayudado a organizar una carrera de biciele-
tas. A medida que el vehículo en el que viajaban los niños cru-
zaba un puente, una explosión de dinamita lo lanzó a varios
metros, después de lo cual los guerrilleros dispararon sobre el
automotor averiado. Las FARC afirmaron después que había
sido un "error" y que el ataque estaba originalmente dirigido
a un camión del Ejército que pasaría veinte minutos después[174]. Al igual que con el caso de Usme descrito anteriormente,
no es suficiente que las FARC reconozcan el error sin hacer ningún esfuerzo por castigar a los responsables: la comandancia de
las FARC debe iniciar una investigación de buena fe sobre este
trágico crimen, informar al público colombiano los resultados y
sancionar a los responsables.

El ELN ha establecido una presencia militar de tal magni-
tud en la cordillera del nordeste del departamento de Antioquia,
que los pobladores de la región solicitan su asistencia para arre-
glar cuentas personales a la fuerza. En una clara violación de
las leyes de la guerra, el ELN se ha prestado para actuar así
como justicia vigilante. El 14 de noviembre de 1990, el ELN
asesinó al presidente del Concejo Municipal de Yolombó, quien
era activista del Movimiento de Salvación Nacional. En diciembre de ese mismo año, en La Gallinera de Vegachí, departamento de Antioquia, el ELN asesinó a un padre y su hijo, junto con
un trabajador. Las víctimas estaban involucradas en una disputa de tierras con un vecino. El 24 de febrero de 1991, el ELN
asesinó a Manuel de Jesús Moreno en la población de El Dia-
mante; sus asesinos dejaron tras ellos una nota que decía que
había sido ultimado por "mal comportamiento y por haber dejado la organización guerrillera"[175].

174 CAJ-SC, carta a Americas Watch, 27 de diciembre de 1991.
175 CAJ-SC, "Informe sobre derechos humanos en el Magdalena Medio y el
      Nordeste Antioqueño", p. 169.

En una clara violación de la neutralidad médica, unidades de las FARC obligaron en diciembre de 1991 a la doctora Lucía Chaves a acompañarlos a la región de El Plateado con el fin de atender a algunos guerrilleros heridos[176]. El Derecho Internacional Humanitario le prohíbe a los combatientes de ambas partes interferir con la neutralidad de las actividades médicas, independientemente de a quiénes estén atendiendo.

El 7 de abril de 1991, en San Roque, departamento de Antioquia, el ELN detuvo y asesinó en la plaza del pueblo a Armando Salazar y Carlos Sepúlveda, dos policías a quienes acusó de haber violado los derechos de la población[177]. Los miembros de la Policía pueden considerarse como objetivos legítimos, siempre y cuando estén participando en los combates; sin embargo es claro que su ejecución después de haber sido capturados constituye una grave violación a las leyes de la guerra.

El ELN ha sido acusado de emplear métodos brutales para lograr influencia en las políticas económicas y sociales del bajo nordeste de Antioquia. El 7 de abril de 1991 asesinaron a Guillermo Vásquez, un activista del Partido Conservador e inspector de Policía del municipio[178]. El 1º de mayo de 1991, el ELN secuestró y posteriormente asesinó en Zaragoza a Jorge Villamil, ingeniero de una compañía extranjera minera de oro. Su propósito era lograr que dicha compañía abandonara la región[179]. El ELN también retiene a rehenes civiles con el mismo propósito. El 18 de enero de 1991, también en Zaragoza, el ELN secuestró a Michel Michaud, Pierre Tarasuik y Marcel Chambard, tres ingenieros franceses, y a Juan Avilés,

176 *El Tiempo*, citado en *Foreign Broadcast Information Service*, 13 de enero de 1992, p. 44.
177 CAJ-SC, "Informe sobre derechos humanos en el Magdalena Medio y el Nordeste Antioqueño" p. 169.
178 *Ibíd.*, p. 182. En Colombia, el inspector de Policía no es un miembro de la Policía Nacional, sino un agente local nombrado por las autoridades municipales; dichos inspectores no cumplen función alguna dentro del conflicto armado.
179 *Ibíd.*, p. 182.

su conductor, de nacionalidad colombiana, en el transcurso de un ataque a la firma colombo-francesa COI. El ELN obtuvo seis millones de dólares por el rescate[180].

En contraste con el trato que dan a los rehenes civiles, los grupos guerrilleros por lo general respetan las leyes de la guerra cuando detienen a enemigos militares. Los soldados capturados en dichos casos reciben usualmente buen trato y sus captores acceden a entregarlos al Comité Internacional de la Cruz Roja, CICR, a la Iglesia o a cualquier otro intermediario neutral. El 23 de febrero de 1990, el ELN hizo una breve toma de Segovia y retuvo como rehenes a doce soldados del Batallón Bomboná. El 20 de marzo, el ELN se dirigió a los periodistas colombianos y extranjeros y anunció que los soldados serían entregados a una comisión compuesta por tres conocidos políticos, un representante del CICR y varios familiares de los rehenes. Los guerrilleros aprovecharon la rueda de prensa para denunciar que el Batallón Bomboná bombardeaba las afueras de Segovia[181].

Más recientemente, un operativo conjunto de las FARC y el ELN, el 20 de marzo de 1991 en Santa Helena del Opón, departamento de Santander, resultó en la captura de diecisiete policías. En un comunicado de prensa fechado el 24 de marzo, la Columna Camilo Torres presentó excusas por la destrucción de la alcaldía y de varias residencias particulares durante el ataque a la estación de policía. Una carta firmada por los diecisiete retenidos, solicitando la intervención del CICR, la Iglesia y una comisión de paz para lograr su libertad, fue adjuntada al comunicado[182]. Se recomienda, claro, que los enemigos detenidos sean tratados dignamente y que no sean retenidos como rehenes para presionar al gobierno. La intervención de los mediadores no es siempre necesaria para lograr

---

180   *Ibíd.*, p. 184.
181   *Ibíd.*, p. 184, citando a *La Prensa*, 22 de marzo de 1990.
182   Coordinadora Guerrillera Simón Bolívar, "Comunicado a la Opinión Pública-Prensa y Radio" montañas de Santander, 24 de marzo de 1991.

el objetivo humanitario y la insistencia de los grupos guerrilleros en hacerlo puede ser una forma de hacerse propaganda. A pesar de ello, vale la pena estimular la intervención de personas y organismos neutrales, puesto que contribuye a la "humanización" de la guerra y enaltece el respeto a las normas de Derecho Internacional Humanitario. Consideramos que tanto las FARC como el ELN deben demostrar la misma preocupación por las normas humanitarias, cuando retienen civiles.

Uno de los indicios más claros de que los grupos guerrilleros no están preocupados por la debida protección a la población civil es el empleo de minas. El 22 de febrero de 1992, Alicia Luna de Camargo murió y su madre e hija fueron gravemente heridas por una mina de contacto que presumiblemente fue colocada por la guerrilla en Fortuna, departamento de Santander[183]. El Derecho Internacional Humanitario prohíbe el empleo de minas sin usar señales efectivas de advertencia, en aquellas zonas conocidas como pobladas por civiles.

En marzo de 1991, el Ejército colombiano hizo una denuncia espectacular contra las FARC. El coronel Misael Plata, comandante encargado de Casa Verde, condujo a un grupo de periodistas hacia un cementerio clandestino donde les mostró varios esqueletos que, según él, eran de campesinos asesinados por las FARC cuando empleaban Casa Verde como sede de su comandancia. A pesar de que una sola tumba que contenía unos veinte cadáveres había sido abierta, el coronel aseguró a los periodistas que por lo menos 400 personas se encontraban enterradas allí y que 23 de los cráneos tenían heridas de arma de fuego. Desde que el coronel invitó a los periodistas, los estimativos de las personas enterradas se han tornado más conservadores. La comandancia del Ejército insiste en privado que en Casa Verde aún se encuentran entre cuarenta y setenta cadáveres y que el 60% de ellos fueron ejecutados por la guerrilla. Las FARC, por su parte, negaron haber asesinado a nadie o haber

183 Comisión Andina de Juristas, *Informativo Andino*, p. 3.

escondido sus cuerpos y aseguró que el cementerio había sido utilizado durante varios años por los campesinos[184].

No ha habido un seguimiento real a esta grave acusación, desde que pasó el primer golpe sensacionalista. El Ejército parece haber perdido interés en una investigación en la que debería haber exhumaciones, identificación de los restos y de las causas de las muertes. Por su parte, la explicación de las FARC no es satisfactoria. Su comandancia tuvo un completo control de Casa Verde durante varios años, por lo que resulta probable que conozcan más acerca del cementerio y de cómo murieron esas personas, de lo que han querido explicar hasta el momento.

Americas Watch considera que los cementerios clandestinos deben ser investigados desapasionadamente y a fondo y que a las autoridades militares les corresponde facilitar la investigación. La manipulación de la información con fines políticos no ayuda a lograr establecer la verdad ni a hacer justicia en estos crímenes atroces, si resultare cierto que fueron cometidos en Casa Verde. La comandancia de las FARC, por su parte, debe divulgar todo lo que sepa acerca de quiénes están allí enterrados y cómo murieron, así como cuáles fueron los castigos recibidos en su momento por los posibles responsables de estas masacres.

D. VIOLACIONES A LAS LEYES DE LA GUERRA POR EL EJÉRCITO COLOMBIANO

Además del progresivo —pero incompleto— alejamiento del paramilitarismo como estrategia de contrainsurgencia, el

---

184   James Brooke, "Mass Graves Linked to Colombian Rebels", *The New York Times*, 7 de abril de 1991; "Colombia Finds Mass Rebel Graves", *The Miami Herald*, 6 de abril de 1991; "Rebel Chiefs Deny Executing Comrades", *The Miami Herald*, 9 de abril de 1991; entrevistas al entonces consejero presidencial para la Defensa y Seguridad Nacional, Rafael Pardo, y al consejero para los Derechos Humanos, Jorge Orlando Melo, abril de 1991.

Ejército colombiano ha introducido otros cambios en su lucha antisubversiva. El gobierno de César Gaviria creó las "brigadas móviles", las cuales pueden desplazarse rápidamente de un lugar a otro del país. Las brigadas están compuestas por unos 1.500 hombres, quienes son reclutados entre aquellos soldados profesionales que han recibido un entrenamiento especial antiguerrilla y quienes, en consecuencia, reciben un salario más elevado que los soldados comunes. Cada brigada está bajo las ordenes de un brigadier general, quien a su turno debe responder ante la comandancia del Ejército en Bogotá; en las zonas rurales, las brigadas regionales suministran el apoyo logístico necesario a las brigadas móviles y cada una de ellas está bajo las órdenes de la división de la comandancia de la zona donde se encuentren operando. Las brigadas móviles poseen no solo un mejor entrenamiento, sino armas y equipos de comunicación y transporte más sofisticados que los de sus colegas de las brigadas regionales. El gobierno aseguró a Americas Watch que los helicópteros y aviones empleados por las brigadas móviles no son aquellos enviados por los Estados Unidos bajo la Ley de Control Internacional de Narcóticos[185].

El ataque a Casa Verde en diciembre de 1990 fue el primer operativo público de las brigadas móviles. Sin embargo, una brigada móvil había estado operando anteriormente en Córdoba contra el EPL. En 1991, otra de estas brigadas operó extensamente en la región del Magdalena Medio. A mediados de 1991, se habían creado dos brigadas móviles, a pesar de que el gobierno había anunciado la creación de cuatro. El costo de cada brigada sería asumido por el nuevo "impuesto de guerra" establecido por el gobierno en 1990.

Los defensores de derechos humanos aseguran que la creación de las brigadas móviles no ha significado un mejoramiento del comportamiento del Ejército colombiano respecto

---

185 Entrevista al entonces consejero presidencial para la Defensa y Seguridad Nacional, Rafael Pardo, en Bogotá, abril de 1991.

de las leyes de la guerra[186]. También insisten que las brigadas
emplean uniformes desprovistos de nombres o insignias de
identificación o rango; además, los soldados se relacionan con
seudónimos con el fin de evitar la divulgación de su verdadera
identidad entre la población. Según informes confiables, las
brigadas móviles comienzan sus ataques con bombardeos u
operaciones rastrillo sin distinguir, la mayoría de las veces,
entre la población civil y los objetivos militares; efectúan además detenciones masivas de campesinos de quienes sospechan
ser colaboradores de la guerrilla, y en muchas ocasiones mal-
tratan a los detenidos. Parece ser que después de que una brigada móvil deja la zona, las tropas pertenecientes a los bata-
llones permanentes comienzan proyectos de "acción cívica"
tales como vacunación, asistencia de salud y otras formas de
asistencia social. Consideramos que el ocultamiento de la
identidad del personal de las brigadas móviles trae consigo un
deterioro grave de la situación de los derechos humanos, porque dificulta las denuncias y las sanciones por los abusos cometidos, facilitando aún más la impunidad del Ejército.

En nuestro informe de 1990, mencionamos el bombardeo
aéreo que fue realizado en Yondó, Antioquia, en enero de 1990
y cómo éste era violatorio de las leyes de la guerra[187]. El 4 de
septiembre de 1990, helicópteros del Batallón Nueva Granada
bombardearon las veredas de La Concha, La Concepción, El
Bagre, Cuatro Bocas y Campo de Cimitarra, en el municipio
de Yondó. Pocos días después, durante una operación rastrillo
hecha por fuerzas combinadas (Batallón Nueva Granada, brigada móvil y seis tropas antiguerrilla), el Ejército asesinó a
Arnulfo Hernández, un dirigente campesino en La Poza. Seis
personas más desaparecieron durante el operativo y otros

---

186   También se han presentado cuestionamientos desde el punto de vista
      de eficiencia táctica y militar. Puesto que dicho tema excede nuestro
      mandato como organismo de derechos humanos, nos abstenemos de co-
      mentar sobre ello.

187   Americas Watch, La "guerra" contra las drogas..., pp. 69-70.

campesinos se han quejado de que sus casas fueron saqueadas e incendiadas.

En 1991 hubo bombardeos en San Pablo y Simití, al sur del departamento de Bolívar. El 21 de mayo, aviones y helicópteros bombardearon e incendiaron grandes zonas de dichos pueblos. Una señora llamada Otilia García murió en el operativo[188]. Los defensores de derechos humanos que han realizado un extenso trabajo de campo en la zona, afirman que los bombardeos y las quemas, que serían legítimas si fuesen dirigidas contra objetivos militares, en realidad constituyen una política de "tierra arrasada", es decir, de destruir la zona para evitar que la guerrilla pueda operar allí. Los comandantes militares, quienes asumen que en determinadas zonas todos los habitantes son guerrilleros o auxiliares de la guerrilla, no hacen ninguna distinción entre los combatientes y la población civil[189]. En Coroncorá y Yanacú, al sur del departamento de Bolívar, hubo más bombardeos el 11 de octubre de 1991[190]. Cinco campesinos fueron asesinados y un niño fue herido el 13 de febrero de 1992, cuando la XIII Brigada del Ejército bombardeó el pueblo de Gutiérrez, departamento de Cundinamarca, durante un operativo militar[191].

El fuego indiscriminado es una violación grave del artículo 3 Común de las Convenciones de Ginebra. Al ser cuestionados, los altos oficiales del Ejército negaron esta práctica, pero afirmaron que los guerrilleros forman un "cordón" de protección con los campesinos de la región y que éstos son el equivalente de las "autodefensas" de los guerrilleros[192].

La brigada móvil se quedó en Mesetas y la Macarena durante varias semanas, después del ataque a Casa Verde en

---

188 CAJ-SC, "Informe sobre derechos humanos en el Magdalena Medio y el Nordeste Antioqueño", pp. 85-86.

189 Ibíd., p. 181.

190 Credhos, citado por el Comité Colombia de Derechos Humanos, Washington DC, 16 de diciembre de 1991.

191 Comisión Andina de Juristas, Informativo Andino, p. 3.

192 Entrevista al general Ibáñez, Ministerio de Defensa, Bogotá, abril de 1991.

diciembre de 1990, con el fin de hacer operativos de inteligencia y contrainteligencia. Los miembros de la brigada detenían campesinos y los interrogaban acerca de la ubicación de la guerrilla. Dichos interrogatorios no se conducían con torturas sistemáticas, pero sí eran acompañados de insultos, golpizas y otras formas de maltrato físico. Algunos de los detenidos fueron obligados a servir de guías entre los bosques; tres de ellos fueron abandonados y sólo reaparecieron cinco días después.

Los soldados también analizaron la cantidad y calidad de la comida y los medicamentos que los campesinos tenían en sus casas, haciendo para ello una especie de censo. Si los soldados regresaban y encontraban más personas de las registradas en la casa, le decían a las familias que asumirían que estaban escondiendo terroristas. Existen informes de prácticas similares ocurridas en el Magdalena Medio, Cesar y Putumayo[193].

Dieciocho personas desaparecieron de Caucasia, Zaragoza y Cáceres, al nordeste del departamento de Antioquia, después de que la brigada móvil pasó por sus veredas. Los defensores de derechos humanos contactaron a los personeros y a las oficinas de la Procuraduría, pero la búsqueda fue infructuosa durante veinte días. Finalmente las dieciocho personas fueron localizadas cuando el procurador delegado para las Fuerzas Militares envió una delegación que incluía a un observador independiente. Habían estado marchando con la brigada durante todo el tiempo, mientras la brigada buscaba guerrilleros. Los soldados intentaron excusarse diciendo que habría sido demasiado costoso devolver a los detenidos a cualquier estación de policía de una vereda cercana y que no podían interrumpir su operativo militar. Algunos de los detenidos fueron liberados después por medio de una petición de *habeas corpus*[194].

---

193 Cinep, entrevista a Diego Pérez, Bogotá, abril de 1991. Recibimos información similar de parte de Credhos, en lo que respecta al Magdalena Medio.

194 Comité de Solidaridad con los Presos Políticos, CSPP, entrevista con Jaime Prieto, Bogotá, octubre de 1991.

Consideramos que la actitud de la brigada colocó la vida de los civiles en una situación innecesaria de peligro. Si la unidad va a detener pobladores, el comandante está en la obligación de garantizar a los detenidos un buen trato, de colocarlos a disposición de las autoridades competentes a la mayor brevedad y de asegurarse de que no corran peligro dentro de la situación de combate.

Son muchas las ocasiones en que una brigada del Ejército (bien sea móvil o permanente) ha asesinado a campesinos a sangre fría y luego los ha reportado como guerrilleros muertos en combate. El 4 de septiembre de 1990, Henry Delgado y Luis Antonio Meza fueron interceptados en un retén militar en Fondo Ganadero, cerca de Barrancabermeja. Aunque Meza no fue detenido, Delgado fue asesinado y los soldados aseguraron luego que había sido un guerrillero muerto en combate. La denuncia penal se hizo ante el juez 72 Penal Militar y la disciplinaria ante la Procuraduría. El 10 de septiembre de 1990, Meza y su esposa, Beatriz Elena Méndez, fueron asesinados en La Fortuna. Algunos miembros del Ejército recogieron los cadáveres, los llevaron a la funeraria "Foronda", de Barrancabermeja, y aseguraron que también eran guerrilleros.

Un pelotón del Batallón Nueva Granada detuvo y asesinó a José Ovidio Cabezas Monroy el 27 de septiembre de 1990, en la carretera que de Barrancabermeja conduce a Bucaramanga, en circunstancias similares a las de los casos anteriores. Nuevamente el Ejército aseguró que Cabezas era un guerrillero muerto en combate y de nuevo su afirmación estuvo carente de pruebas: Cabezas era minusválido; no podía usar sus manos y tenía una visión muy escasa.

El 14 de marzo de 1991, cuatro hombres que trabajaban como coteros fueron detenidos por el Ejército en la carretera hacia Bucaramanga, donde trabajaban cubriendo huecos y recibían a cambio propinas de los camioneros. Sus cuerpos aparecieron luego con claras señas de tortura y fueron identificados por sus familiares, a pesar de que no estaban vestidos con su propia ropa. Sus asesinos los habían vestido con ropa de fatiga con distintivos guerrilleros. A pesar de que sus familiares y conocidos de Barrancabermeja lo negaron enfáticamente, el Ejército aseguró que les había encontrado armas[195].

También fueron asesinados en circunstancias similares Israel Cárdenas el 18 de mayo de 1991 en Guarumo; Jaime García Velásquez y Álix Bustos Martínez de El Llanito, el 10 de abril de 1991; Pedro Castellanos y Rafael Antonio Morales, de Barrancabermeja, el 20 de abril de 1991; Óscar Muñoz Jiménez, el 7 de mayo de 1991 en El Porvenir; y Martín Jaimes Puentes el 19 de mayo de 1991, en Meseta de San Rafael[196]. Todas estas muertes se le atribuyen al Batallón Nueva Granada con sede en Barrancabermeja.

Otros asesinatos fueron cometidos en la misma región por la brigada móvil. El 16 de marzo de 1991, Justiniano Rodríguez Sánchez de 82 años de edad y Teodolinda Agudelo Hernández de 80 años, una pareja de ancianos, fueron asesinados en la vereda de San Lorenzo, municipio de San Alberto, departamento del Cesar, por el batallón antiguerrilla Los Guanes, mientras intentaban dar captura a una guerrillera. Inicialmente, el Ejército aseguró que tres guerrilleros habían muerto en combate; después corrigió su afirmación diciendo que dos ancianos habían muerto "por error". El hijo de la pareja atestiguó y formuló la denuncia ante la Procuraduría.

La brigada móvil también fue la responsable de la muerte de otra pareja en la vereda de Sabanetas en Sabana de Torres. El 29 de julio de 1990, 120 hombres de la brigada móvil sacaron de su casa a Alonso Lara Martínez y a Luz Marina Villabona Forero, los asesinaron en un lugar cercano y luego aseguraron que eran guerrilleros muertos en combate. El personero municipal formuló denuncia, en la cual cuestionaba la veracidad de la versión militar[197].

---

195 Credhos, "Hechos destacados de violación a los derechos humanos en Barrancabermeja y sus zonas aledañas", Barrancabermeja, mayo de 1991.
196 CAJ-SC, "Informe sobre derechos humanos en el Magdalena Medio y el Nordeste Antioqueño", p. 70.
197 Ibíd., pp. 70-72.

El Ejército también hace operativos antiguerrilla en el sur del país, cerca de la frontera con Ecuador. Ramón Rojas Erazo y la hermana Hildegard Feldmann, una enfermera de nacionalidad suiza, fueron asesinados el 9 de septiembre de 1990 en la casa de Rojas, por una unidad del Grupo 3 de Caballería de la III Brigada del Ejército, en la vereda de El Sande, municipio de Samaniego, en el departamento de Nariño. El Ejército arrastró los dos cadáveres hasta el centro del pueblo, los fotografió y aseguró que eran guerrilleros muertos en combate. Al descubrirse la identidad de la religiosa, el Ejército dijo que unos guerrilleros estaban refugiados en la casa de Rojas, donde se le prestaba atención médica a uno de ellos que se encontraba herido.

La investigación por el asesinato estuvo inicialmente a cargo de un juez municipal, pero éste solo la pudo iniciar después de que el Ejército había movido los cadáveres. Posteriormente pasó al Juzgado 18o. Penal Militar en el Batallón Boyacá, con sede en Pasto. Un año y medio después no es mucho lo que se sabe acerca de las circunstancias de estas muertes. Sin embargo, el hecho de que la religiosa fuese enfermera, hace que este caso sea desde el comienzo una grave violación a las leyes de la guerra, que establecen la obligación escrupulosa de respetar la neutralidad del personal médico[198].

E. Refugiados internos

La guerra desarrollada en las zonas rurales —y en particular en la forma como las partes combaten— obliga a los campesinos a huir de muchas regiones del país. En algunas ocasiones la huida es temporal, pero en la mayoría de los casos los refugiados se reubican en zonas urbanas. En ambos casos, la asistencia suministrada por el gobierno es vergonzosamente esca-

---

198   Jorge Orlando Melo, carta a Americas Watch, 12 de agosto de 1991.

sa, si en algún momento llega a existir (algunos administradores locales del PNR contribuyen a las iniciativas privadas en
algunas zonas). Las Fuerzas Armadas no tienen ningún proyecto de alivio para las familias refugiadas, a pesar de que las leyes
de la guerra imponen a la parte responsable del desplazamiento
la obligación de asegurar a la población "condiciones adecuadas
de albergue, higiene, salud, seguridad y nutrición"[199].

Las organizaciones no-gubernamentales han asumido el
reto y suministran mucha de la ayuda necesaria en varias zonas del país. Las más activas entre ellas son Conadhegs y Ce-
davida, dos organizaciones privadas, sin ánimo de lucro, con
oficinas en Bogotá y en varias ciudades del interior de Colombia. En 1991, el Comité Internacional de la Cruz Roja obtuvo
autorización para suministrar alimentos y asistencia médica
a muchos de los desplazados.

En enero de 1992, el gobierno dio instrucciones a varias
agencias gubernamentales para que desarrollasen diferentes
aspectos de la Estrategia Nacional contra la Violencia[200]. El
documento contiene indicaciones específicas para que las autoridades regionales y municipales satisfagan las necesidades
de los desplazados por la violencia, bajo la coordinación y con
el apoyo y la guía de la Consejería Presidencial para los Derechos Humanos. Estas instrucciones son valiosas porque inten-
tan crear una infraestructura regional y local para disminuir
la violencia, así como dar una respuesta institucional adecuada a las denuncias por violaciones a los derechos humanos.

199   Protocolo II a las Convenciones de Ginebra, Parte IV, Artículo 17.
200   Presidencia de la República, "Responsabilidades de las Entidades del
      Estado en el desarrollo de la Estrategia Nacional contra la Violencia",
      Bogotá, 28 de diciembre de 1991.

Capítulo 4. La "guerra" contra las drogas

A. Una nueva estrategia

Cuando redactamos nuestro último Informe en octubre de 1990, el gobierno estaba dedicando enormes esfuerzos a la persecución de los líderes del Cartel de Medellín, política que contaba con el apoyo del presidente Bush. La campaña denominada la "guerra" contra las drogas por el entonces presidente colombiano Virgilio Barco y por el presidente Bush, había comenzado en agosto de 1989 pagando altos costos en vidas humanas de ciudadanos colombianos. La "guerra" consistía principalmente en esfuerzos desmesurados por capturar a los barones de la droga y extraditarlos hacia los Estados Unidos para ser juzgados.

El gobierno norteamericano suministró grandes sumas en ayuda militar, con el propósito de vincular al Ejército colombiano a los esfuerzos antinarcóticos que se centraban en la destrucción de los laboratorios de procesamiento de cocaína, las pistas clandestinas de aterrizaje y en la detención de los narcotraficantes, quienes se escondían en las selvas o en las montañas colombianas. El gobierno colombiano destinó también sus propios recursos a la campaña antidrogas, con el apoyo entusiasta de la administración Bush; el Cuerpo Élite de la Policía Nacional, creado a comienzos de 1989 para combatir a los grupos paramilitares, fue comprometido de tiempo completo en la captura o muerte de Pablo Escobar y sus asociados. Bajo la dirección del general Miguel Maza Márquez, el DAS se convirtió en el centro de los operativos de inteligencia contra el Cartel; sus tropas uniformadas también participaban arduamente en la "guerra" contra las drogas. Por su parte, el Ejército colombiano aceptó entusiasmado los equipos que fueron donados por la administración Bush para la tarea antinarcóticos (helicópteros, equipos de comunicación, armas y entrenamiento) y sin embargo, altos oficiales afirmaron abiertamente que el propósito principal del Ejército seguía siendo combatir a la guerrilla.

Entre septiembre de 1989 y noviembre de 1990, la sociedad colombiana pagó un precio elevado por una política que militarizaba un problema que era esencialmente policivo. El Cuerpo Élite empleó estrategias de "guerra sucia" tales como la tortura, la desaparición y los asesinatos, a lo largo de su persecución de los líderes del Cartel de Medellín y de sus cómplices. Algunas de las violaciones a los derechos humanos cometidas dentro del contexto de la "guerra contra las drogas", fueron comentadas en nuestro último Informe[201]. El Cartel desarrolló su propia ofensiva, consistente en bombas indiscriminadas, asesinatos selectivos y un régimen de terror: Escobar ofreció recompensas a quien asesinara policías, lo que significó la muerte de 250 uniformados, tan solo en el Área Metropolitana de Medellín[202]. El gobierno también intentó proteger a los jueces y magistrados, mediante la creación de juzgados especializados con competencia para los procesos por los delitos cometidos por los narcotraficantes y los guerrilleros y mediante la instauración de regímenes procesales altamente cuestionables desde el punto de vista del debido proceso (véase el Capítulo 5).

A pesar del altísimo costo en vidas humanas y de la erosión de las instituciones democráticas colombianas, la campaña antidrogas no funcionó. Después de varios años de esfuer-

---

201 Americas Watch, La "guerra" contra las drogas..., pp. 45-60.
202 Instituto Latinoamericano de Servicios Legales Alternativos, ILSA, "Colombia: The Threat of Peace", Beyond Law, No. 3, noviembre de 1991, p. 105.

zos (medidos según el número de narcos capturados y extraditados) la campaña puede ser catalogada como un fracaso: de la docena de narcotraficantes enviados a los Estados Unidos, solamente uno o dos ocupaban un cargo importante dentro del bajo mundo; por lo menos en una ocasión los jueces norteamericanos devolvieron a ciudadanos colombianos que habían sido indebidamente extraditados y les presentaron excusas[203]. Ninguno de los líderes del narcotráfico fue capturado. Gonzalo Rodríguez Gacha, líder del Cartel de Medellín, murió en diciembre de 1989 mientras intentaba escapar de un operativo de la Policía en una de sus fincas. Por su parte, Pablo Escobar y la familia Ochoa seguían disfrutando su libertad, a pesar de que el DAS aseguró en varias oportunidades haber estado cercano a la aprehensión de Escobar. Los dirigentes del Cartel de Cali, por el contrario, no fueron perseguidos. El grupo clandestino de narcotraficantes que se autodenominaba "Los Extraditables" y que presumiblemente estaba dirigido por Escobar, acusó en varios comunicados de prensa al gobierno por considerar que estaba al servicio del Cartel de Cali. Por último, la "guerra" contra las drogas ha sido y continúa siendo un fracaso desde el punto de vista de la reducción en el consumo de la cocaína[204].

La "guerra" contra las drogas fue declarada después del asesinato del precandidato a la Presidencia Luis Carlos Ga-

---

203 Americas Watch, La "guerra" contra las drogas..., p. 102.

204 Según Newsweek:

> Seis de los más recientes informes del Departamento de Estado, el Pentágono y el Congreso han documentado los fracasos de los programas militares y paramilitares de la lucha contra las drogas. Los informes afirman que los esfuerzos estadounidenses están llenos de fallas en el manejo, confusiones políticas y poca inteligencia; la guerra contra las drogas también está afectando a largo plazo los regímenes inestables de las Américas; y en las calles —donde más cuenta— el impacto de los esfuerzos militares es imposible de discernir, si es que lo ha habido. Según la última encuesta del National Institute for Drug Abuse, la misma cantidad de personas consumen drogas en 1991 que las que las consumían en 1989. La administración Bush quería reducir esa cifra a la mitad.

En Peter Katel, Charles Lane, Brook Larmer y Douglas Waller, "The Newest War", Newsweek, 6 de enero de 1992.

lán, a manos del Cartel de Medellín en agosto de 1989. En la misma semana, el Cartel asesinó al jefe de la policía de Antioquia y a un magistrado del Tribunal Superior de Bogotá[205]. Si se quisiera medir el éxito de la guerra contra las drogas por la disminución en el índice de asesinatos de figuras públicas, también tendría que considerarse un fracaso. En 1990, dos candidatos presidenciales de izquierda fueron asesinados. Además, el Cartel intentó asesinar al director del DAS y colocó bombas en la sede del DAS en Bogotá y en la sede del diario *El Espectador*.

En septiembre de 1990, el presidente Gaviria expidió los decretos de estado de sitio 2047 y 3030 para afrontar el problema de la violencia generada por el Cartel. En enero de 1991, la legislación fue complementada por el decreto 303. Por medio de la legislación de emergencia, el gobierno ofreció una rebaja de penas y la no extradición a los narcotraficantes que se entregaran voluntariamente y confesaran por lo menos un delito. Los decretos de septiembre contemplaban sin embargo la extradición automática de los sindicados que se fugaran, se retractaran de su confesión o dieran una declaración (confesión) falsa; el decreto 303 por su parte, ampliaba estas disposiciones y contemplaba la extradición para cualquier acto encaminado a entorpecer la administración de justicia, tales como el chantaje y la extorsión[206].

Fabio Ochoa aprovechó la oferta del gobierno y se entregó en diciembre de 1990. Su hermano Jorge Luis lo hizo en enero de 1991 y Juan David, el tercer hermano, se entregó en marzo. Actualmente se encuentran recluidos en la Cárcel de Itagüí, cerca de Medellín. Con la entrega de los hermanos Ochoa, el único narcotraficante suelto era Pablo Escobar, quien perma-

---

205 Americas Watch, *La "guerra" contra las drogas...*, p. 46.
206 Los decretos de septiembre abarcan los delitos cometidos antes del 5 de septiembre de 1990; sin embargo, el decreto 303 amplió el espectro a cualquier delito cometido antes de la entrega. *Véase* Ana Arana, "Colombian Traffickers Rescind Terrorist Threat", *The Miami Herald*, 31 de enero de 1991.

neció libre hasta junio de 1991. El decreto 303 fue diseñado para pavimentar el camino hacia su entrega[207].

Hasta el 8 de agosto de 1991 cuando dejaron de regir los decretos, un total de veinte narcotraficantes se habían acogido a las ofertas del gobierno. El nuevo Congreso, que comenzó a sesionar en diciembre, podrá además ampliar las ventajas para quienes inicialmente se negaron a la entrega voluntaria[208]. Cuando la extradición fue definitivamente suspendida en septiembre de 1990, el gobierno Bush elevó su voz de protesta. Tan pronto como la Asamblea Nacional Constituyente comenzó sus deliberaciones en febrero de 1991, fue evidente que el tema de la prohibición de la extradición sería tratado[209]. Y por supuesto, el texto constitucional aprobado en julio de 1991 prohíbe en su artículo 35 la extradición de nacionales colombianos.

Aún mientras la Constituyente debatía el tema de la no-extradición y el gobierno ofrecía la rebaja de penas, la guerra entre el Cartel de Medellín, el DAS y la Policía continuaba ardiendo. La Policía logró desmantelar parte del aparato militar de Escobar. "Los Priscos" (sus integrantes pertenecían a la familia Prisco) uno de los grupos más notorios, fue desintegrado aun cuando en el proceso la Policía detuvo y asesinó a un médico de la familia, quien era notoriamente inocente. John Jairo Arias Tascón y Hernando Gaviria Gómez (primo de Escobar), dos de sus ayudantes más cercanos, también fueron asesinados en circunstancias dudosas. A pesar de que la Policía asegura que Gaviria Gómez murió en un enfrentamiento armado en una finca cerca de El Guarne al oriente de Medellín el 23 de octubre de 1990, existen pruebas suficientes que de-

---

207 *Ibíd.*; Jeff Leen, "Key Medellín Cartel Leader Surrenders", *The Miami Herald*, 16 de enero de 1991; James Brooke, "Colombia Ties Drug Cache to 3 in Jail", *The New York Times*, 8 de abril de 1991.

208 "Terminó plazo para que narcotraficantes se entreguen a la justicia", *La Prensa*, 9 de agosto de 1991. Además de los veinte que se encontraban detenidos, otros tres hombres intentaron entregarse en julio, pero fueron capturados, torturados y asesinados, como lo describiremos más adelante.

209 *Véase* el Capítulo 5 para un comentario sobre la Constituyente.

muestran que fue sacado de su casa mientras dormía y asesinado con las manos atadas[210]. Arias Tascón, por su parte, murió en junio de 1990 en uno de los edificios de apartamentos
más lujosos de Medellín. La Policía insiste en que resistió el
arresto y que le disparó y lo mató después de haber saltado de
una ventana; las fotos tomadas por sus guardaespaldas desde
otro edificio vecino lo muestran, sin embargo, mientras era obligado a abordar un vehículo de la Policía, esposado y vivo[211].

A pesar de una publicitada tregua a mediados de 1990, el
Cartel continuó atacando con sevicia. "Los Extraditables" secuestraron a varios periodistas y a parientes de figuras públicas. Después de varios meses de secuestro, Maruja Pachón,
periodista y cuñada del asesinado precandidato Luis Carlos
Galán, y Francisco Santos Calderón, editor de *El Tiempo*, uno
de los más importantes periódicos colombianos, fueron liberados en mayo de 1991. Marina Montoya, de 65 años y hermana
de Germán Montoya, el secretario general del expresidente
Barco, fue asesinada por sus captores en enero de 1991. La
editora de la revista *Hoy por Hoy* e hija del expresidente Julio
César Turbay, Diana Turbay de Uribe, fue asesinada el 25 de
enero por sus captores durante un operativo de rescate. Richard Becerra, un periodista que había sido secuestrado con
ella en agosto de 1990, fue liberado[212].

Aun después de que la legislación de rebaja de penas fue
ampliada en enero de 1991, el Cartel de Medellín continuó sus
ataques sangrientos. El 16 de febrero de 1991, un carrobomba
explotó en la plaza de toros La Macarena en Medellín, matan-
do a diecinueve personas (entre las cuales se encontraban seis
policías) e hiriendo a sesenta más[213]. Los narcos también con-

210   "Dado de baja otro primo de Escobar", *El Espectador*, 24 de octubre de
      1990.
211   Entrevista con Guillermo Sepúlveda, procurador regional, Medellín,
      abril de 1991.
212   James Brooke, "Colombian Kidnappings Are Gagging the Press", *The
      New York Times*, 28 de enero de 1991.
213   Douglas Farah, "Car Bomb Kills 19, Injures 60 Outside Medellín Bull
      Arena", *The Washington Post*, 17 de febrero de 1991.

tinuaron con su política de asesinar a figuras importantes: el 30 de abril de 1991 asesinaron a bala al exministro de Justicia del gobierno de Barco y enemigo declarado del Cartel, Enrique Low Murtra, mientras abordaba un taxi en Bogotá. Low Murtra había sido nombrado embajador de Colombia en Berna, después de haber recibido amenazas de muerte en 1989, pero regresó a Colombia en diciembre de 1990. Su asesinato fue interpretado como un mecanismo de presión para que la Asamblea Nacional Constituyente prohibiera la extradición en el nuevo texto constitucional[214].

Pablo Escobar permaneció escondido en las montañas del occidente antioqueño, cerca de Medellín y del Magdalena Medio, durante el primer semestre de 1991. Tanto el DAS como la Policía estuvieron próximos a capturarlo en más de una oportunidad, gracias a la información que habían recibido de sus exsocios de los grupos paramilitares de Puerto Boyacá y probablemente también del Cartel de Cali. Una y otra vez, Escobar logró evitar su captura. Según unos investigadores de campo, a Escobar lo protegía un grupo personal de guardaespaldas, seguido por un grupo cercano de hombres armados suministrados por Fidel Castaño, el terrateniente y jefe paramilitar de Córdoba y, por último, por un grupo del ELN.

En abril de 1991, Escobar comenzó sus negociaciones con el gobierno por medio del sacerdote Rafael García-Herreros, también conocido gracias a un programa de televisión. Escobar prometió liberar a Maruja Pachón y a Francisco Santos, pero exigió que lo recluyeran en una cárcel más segura que la de Itagüí[215]. Los periodistas fueron liberados y Escobar se entregó en junio, al día siguiente de que la Constituyente votara en contra de la extradición de nacionales colombianos[216].

214   Ana Arana, "Colombian Had Feared Return Home", *The Miami Herald*, 2 de mayo de 1991.
215   "Top Cartel Leader Plans to Surrender, Priest Says", *The Miami Herald*, 18 de mayo de 1991.
216   *Véase* el Artículo 35 de la nueva Constitución Nacional.

Desde entonces tanto el propio Escobar como algunos de sus colaboradores más cercanos se encuentran recluidos en una cárcel que les fue construida en Envigado*. La construcción del penal fue financiada con el dinero de Escobar y de acuerdo con sus propias indicaciones. Escobar también participó en la selección del personal penitenciario. A pesar de que es cierto que la cárcel cuenta con mejores celdas, mejores zonas de recreación y un régimen más benigno que la mayoría de los centros penitenciarios del país, bajo todo punto de vista —incluyendo el de los periodistas que lo visitaron antes de la entrega— debe ser considerada como una cárcel de máxima seguridad[217]**. El penal está bajo el control absoluto del Ejército colombiano. Escobar le teme a un atentado para asesinarlo y, dado que varios policías han sido asesinados en masa por sus hombres,

---

*   Nota del traductor: Pablo Emilio Escobar Gaviria huyó de la Cárcel de Envigado la madrugada del 22 de julio de 1992 junto con su hermano y ocho hombres más, durante un confuso operativo militar ordenado por el Consejo de Seguridad, destinado a reasumir el control del penal. Con Escobar huyeron: Roberto Escobar Gaviria, alias "Osito"; John Jairo Velásquez Vásquez, alias "Popeye"; Otoniel González Franco, alias "Otto"; Carlos Aguilar Gallego; Gustavo González Flórez; Jorge Eduardo Avendaño, alias "El Tato"; John Edison Rivera Acosta, alias "El Palomo"; Alfonso León Rivera Muñoz, alias "Angelito" y Jesús Hernando Henao Giraldo.
       "Destituidos los guardianes de la Catedral", *El Tiempo*, 24 de julio de 1992; "Y se les voló...", *El Espectador*, 23 de julio de 1992; "Escapó Escobar", *El Espectador*, 23 de julio de 1992.

217   A comienzos de marzo de 1992, el gobierno decidió eliminar varios de los lujos, incluyendo alfombras, tinas de baño y una mesa de juegos. "Colombia Ends Luxuries at Drug Lord's Jail", *The New York Times*, 9 de marzo de 1992.

**   Nota especial de Americas Watch a la versión en castellano: Las condiciones de seguridad y los lujos que han sido revelados a raíz de la fuga de Escobar, inducen a Americas Watch a pensar que las autoridades penitenciarias y militares incurrieron en gravísimas faltas a sus obligaciones, además de desinformar al público colombiano e internacional. El ministro de Justicia entrante, Andrés González, destituyó al director y al subdirector de la cárcel, José Homero Rodríguez Díaz y Jorge Armando Rodríguez González, así como a 26 guardianes. "Sin pistas de Escobar", *El Tiempo*, 24 de julio de 1992; "Se sabía que la de Envigado no era una cárcel sino un refugio de máxima seguridad", *La Prensa*, 23 de julio de 1992.

considera que la Policía Nacional estaría dispuesta a intentarlo[218]. La participación de Escobar en los términos de su propia reclusión (al igual que la de los hermanos Ochoa en la cárcel de Itagüí) ha provocado la idea de que Escobar continúa traficando y ordenando asesinatos desde la cárcel de Envigado[219]*. Tanto Escobar como los hermanos Ochoa han negado cualquier participación de ese tipo y, hasta donde sabemos, las acusaciones no han sido probadas. Cuando, en enero de 1992, una persona llamó a nombre de "Los Extraditables" para declarar la guerra al Cartel de Cali, Escobar se apresuró y desmintió los hechos.

La medida del éxito o el fracaso de la política del presidente Gaviria frente a la extradición dependerá en parte de la posibilidad real de la justicia colombiana para procesar y condenar a Escobar, a los Ochoa y a los demás narcotraficantes importantes. El gobierno continúa obligado a rebajar las penas por los delitos confesados, pero aun así no existe razón para que no pueda aumentar las penas por otros delitos com-

---

218 Cuando se acercaba el final de la redacción del presente Informe, se descubrió un curioso complot contra Escobar desde El Salvador. El 11 de marzo de 1992, un juez salvadoreño ordenó la captura de un teniente coronel, un sargento de la Fuerza Aérea y siete civiles (incluyendo un nacional cubano y dos nacionales guatemaltecos), por haberse robado 500 libras de explosivos de la Fuerza Aérea, para lanzarlos sobre la cárcel de Envigado. Los sospechosos dijeron que el teniente coronel Roberto Leiva iba a vender las bombas al Cartel de Cali, que quería bombardear la cárcel desde el aire. El teniente coronel Leiva y el sargento José Parada fueron condenados por los delitos de terrorismo, asociación subversiva y hurto de propiedades de las fuerzas armadas. Leiva era el segundo a bordo en la Base Aérea de Comalpa, donde fueron guardadas las bombas. *Véase* Daniel Alder, "Salvadorean Suspects Indicted in Escobar Plot", *United Press International*, 11 de marzo de 1992; y *Agence France Presse*, "Salvadorean Military Figures Accused of Involvement in Plot to Kill Escobar", 9 de marzo de 1992.

219 Ana Arana, "Jail Drug Lord Blamed in Foe's Killing", *The Miami Herald*, 9 de agosto de 1991; James Brooke, "Colombia Ties Drug Cache to 3 in Jail", *The New York Times*, 8 de abril de 1991.

* Nota especial de Americas Watch a la versión en castellano: Los secuestros de veintidós personas antes de la fuga y la aparición de los cadáveres de siete de ellos, hacen concluir que Escobar sí tenía la capacidad de ordenar crímenes desde su lugar de reclusión.

probados a lo largo del proceso, si se tienen suficientes pruebas. Desafortunadamente, la mayoría de los esfuerzos de las
entidades colombianas se han centrado en la captura o la
muerte de los narcotraficantes, en lugar de concentrarse en la
recolección de pruebas en su contra con el fin de tener una base
probatoria sólida para condenarlos.

Ahora que Escobar se encuentra recluido, Colombia depende en gran medida de la colaboración de los Estados Unidos en la recolección de las pruebas necesarias para lograr su
condena por varios delitos. Los fiscales estadounidenses han
estado en algunas ocasiones reticentes a compartir su material probatorio con la justicia colombiana, por considerarla demasiado vulnerable al chantaje y la intimidación. Sin embargo, algunos de los altos miembros del gobierno colombiano le
aseguraron a Americas Watch que los Estados Unidos están
colaborando activamente con el gobierno de Gaviria en el su-
ministro de material probatorio[220].

A mediados de marzo de 1992, un juez cuya identidad se
mantuvo secreta como medida de seguridad (véase el Capítulo
5) emitió un auto en el que condenaba a Escobar de haber ordenado el asesinato del director de El Espectador, Guillermo
Cano, enemigo del Cartel gracias a su cruzada contra el narcotráfico. El mencionado auto ha sido la más importante providencia judicial en contra de Escobar, desde su entrega en
junio de 1991. La decisión debe ser ratificada en apelación[221].
Los miembros del gobierno que comentaron secretamente la
providencia, consideran que Escobar no tiene derecho a la rebaja de penas porque no confesó ese delito[222]*.

---

220   Entrevista al ministro de Defensa, Rafael Pardo, Bogotá, octubre de
      1991.
221   Adrian Croft, "Colombian Drug Lord Found Guilty of Editor's Killing",
      Reuters, 18 de marzo de 1992.
222   "Escobar Ruled Guilty in Publisher's Death", The New York Times, 19
      de marzo de 1992.
  *   Nota del traductor: El 18 de septiembre de 1992 la fiscal sin rostro a
      cargo del proceso por el asesinato de Guillermo Cano, Miryam Rocío
      Vélez, fue asesinada en Medellín. Semana, 22-29 de septiembre de 1992.

B. Resultados

El resultado más notorio de la entrega de Escobar ha sido la clara disminución, tanto en cifras como en intensidad, de los incidentes de violencia política que se podían atribuir al Cartel de Medellín. Inclusive se puede afirmar que con la mayoría de sus líderes muertos o presos, el Cartel como tal ha dejado de existir[223]. No obstante, lo anterior no significa que el tráfico de cocaína se haya visto reducido en una proporción equivalente al porcentaje del mercado que le correspondía al Cartel de Medellín. Por el contrario, existen pruebas que demuestran que el Cartel de Cali ha asumido las vacantes que dejaron sus enemigos de Medellín y que, por consiguiente, ha aumentado considerablemente de tamaño. La DEA calcula que el Cartel de Cali es actualmente responsable no solo del 70% del tráfico de cocaína hacia los Estados Unidos, sino del increíble aumento del mercado de la cocaína en Europa. También es muy posible que los traficantes que trabajaban al servicio del Cartel de Medellín continúen operando a través de diferentes mecanismos. Algunos de estos pequeños grupos se alejan además de la política inicial del Cartel de Cali, consistente en evitar la violencia mientras fuese posible y se han dedicado a patrocinar la violencia política en algunas zonas rurales del país. En el Capítulo 2 describimos algunos incidentes de violencia y abuso en el Valle del Cauca; los grupos paramilitares que operan allí, actualmente son armados y financiados por los narcotraficantes emergentes[224].

---

223 En Colombia se ha presentado un debate en torno al nivel de violencia que se podía atribuir al Cartel de Medellín después de la entrega de Escobar. Un dirigente comunal le dijo a Americas Watch que el Cartel continúa estando violentamente activo en su zona. Entrevistas, 18 y 19 de marzo de 1992.

224 Douglas Farah, "Drug Traffickers in Colombia Face Power Struggles", *The Washington Post*, 9 de julio de 1991. Algunos de los nuevos traficantes de la zona incluyen, según el artículo, a los hermanos Urdinola y a algunos de los miembros de la familia Grajales.

El que los gobiernos de Barco y Gaviria hayan centrado su atención en el Cartel de Medellín en su lucha contra el narcotráfico, se justificaba por el hecho de que Escobar y sus cómplices habían intervenido en la violencia política, contribuyendo a agravar el derrame de sangre que ya existía. El Cartel se dedicó a atacar a los jueces, periodistas y demás personajes públicos como candidatos a la Presidencia que se le opusieron y que aseguraron tener una posición inmodificable frente a ellos. En 1989 el Cartel de Medellín era una amenaza seria contra las débiles instituciones colombianas, mientras que sus rivales de Cali se habían mantenido alejados de la violencia política. A pesar de ello, los esfuerzos insistentes del gobierno por combatir únicamente al Cartel de Medellín pueden convertirse ahora en un obstáculo para la persecución del Cartel de Cali. La colaboración brindada contra sus enemigos de Medellín le ha otorgado una inmunidad *de facto* a los miembros del Cartel de Cali. Ninguno de los miembros del Cartel de Cali se acogió a la oferta que el gobierno hizo por medio de los decretos 2047, 3030 y 303 y no existía, hasta el momento de concluir el presente informe, ningún operativo destinado a detenerlos. Pero a pesar de que el gobierno no comience la persecución del Cartel de Cali, sesenta y siete toneladas de cocaína fueron decomisadas en Colombia en 1991, de las cuales se calcula que un 75% pertenece al Cartel de Cali.

Existe además gran preocupación en torno al esfuerzo de los narcos por lograr la diversificación del mercado de narcóticos, debido a los crecientes cultivos de amapola para la produccción de heroína, lo que les permite competir con los traficantes asiáticos en la conquista de los mercados estadounidense y europeo. En los departamentos de Tolima, Huila, Caquetá, Cauca, Nariño y Caldas han sido encontrados sembrados de amapola que cubren aproximadamente 2.000 hectáreas. El mercado de heroína puede resultar más lucrativo, pero trae consigo los peligros de la violencia política. Al igual que con los sembrados de hoja de coca, los sembrados de amapola están ubicados en zonas remotas y de gran presencia guerrillera. Las autoridades colombianas no han logrado establecer hasta la fecha del presente Informe, si los grupos guerrilleros tienen establecido su propio tráfico de heroína o si se limitan a recolectar dinero de los narcotraficantes a cambio de protección[225].

C. La violencia en Medellín

Como afirmamos anteriormente, la guerra total que le fue declarada al Cartel de Medellín trajo consigo una violencia sin precedentes a la segunda ciudad de Colombia. En los tugurios del norte de Medellín, los sicarios y las bandas han estado al servicio del Cartel durante varios años, para llevar a cabo asesinatos a sueldo y otros actos de violencia. Cuando Pablo Escobar huía a comienzos de 1991, parecía que el vínculo entre él y las bandas había disminuido o, por lo menos, que se estaba viendo entorpecido. Paradójicamente, la violencia ha aumentado en lugar de haber disminuido. Parece ser que los pistoleros que antes contaban con un contacto permanente con el Cartel, aumentaron su autonomía para delinquir y se encontraban sumergidos en una batalla a muerte por el control del crimen callejero en Medellín.

Antes de que Gaviria cambiara la política de extradición, en Medellín se presentaban veinte muertes violentas cada día. Muchas de las víctimas eran agentes de la Policía ubicados en pequeños grupos en los Centros de Atención Inmediata, CAI. Los CAI se convirtieron en el blanco preferido de quienes querían cobrar la recompensa que Escobar había ofrecido a cambio de cada agente muerto y los asesinatos se facilitaron por la enemistad que existe entre la Policía y los barrios más pobres. El resultado fue el aumento de los ataques selectivos y el retiro veloz de la Policía de los barrios más marginales y peligrosos. La retirada, sin embargo, dejaba a las comunidades en manos

---

225 "La flor maldita", *Semana*, 10 de septiembre de 1991.

de las bandas dedicadas a diferentes formas de actividad criminal, incluyendo la venta de droga[226].

Las comunidades comenzaron a organizar las llamadas "milicias populares" en respuesta a la creciente anarquía, las cuales contaban, en algunos casos, con miembros que habían estado vinculados a la guerrilla[227]. Las milicias se dedican a un control social rudimentario y violento: primero le advierten a los miembros de las bandas, a los drogadictos y a los delincuentes menores que deben cambiar su comportamiento. Si el destinatario no obedece las advertencias, las milicias lo asesinan. Esta modalidad de justicia privada disfruta de un apoyo considerable de parte de los residentes de las comunidades más pobres, quienes se sienten apabullados por la anarquía reinante. En entrevistas otorgadas con sus rostros cubiertos a los medios de comunicación, los dirigentes de las milicias afirmaron que se sienten abandonados por el gobierno y que su único objetivo es remplazar la ausencia de las autoridades.

A las milicias se las responsabiliza del más grande índice de asesinatos en 1990. Algunos observadores aseguran que el índice disminuyó en 1991, porque las milicias habían ya consolidado su poderío en algunas comunidades de tal forma que ya no necesitaban acudir a este método. Otros aseguran que las milicias continúan asesinando a sus enemigos. Parece también que otras bandas, así como la propia Policía, le atribuyen sus abusos a las milicias[228]. A pesar de que las autoridades

---

226 Entrevista con Rafael Pardo, entonces consejero presidencial para la Seguridad Nacional, en Bogotá, abril de 1991.
Un dirigente comunal entrevistado por Americas Watch en marzo de 1992, afirmó que la Policía alquilaba sus armas de dotación a las bandas y asignaba las zonas donde les permitirían operar a cambio de un "impuesto".

227 Hace algunos años el M-19, el EPL, el ELN y las FARC le suministraron a sus simpatizantes urbanos entrenamiento ideológico y abundantes armas. Mientras algunas de las milicias se han beneficiado de esta experiencia, otras han creado su propia ideología.

228 Entrevistas en la Arquidiócesis de Medellín, el Comité Permanente de Derechos Humanos "Héctor Abad Gómez", la Corporación Región y el Instituto Popular de Capacitación, Medellín, abril de 1991.

gubernamentales no han tomado medidas suficientes para disminuir la violencia en Medellín, su *modus operandi* los ha enemistado con los residentes. Las estrategias generales, y en particular aquellas que empleó el Cuerpo Élite de la Policía Nacional en la persecución de Escobar, generaron oposición de los residentes de Medellín, sin que para ello influya su condición socioeconómica. La mayoría de los integrantes del Cuerpo Élite eran oriundos de otras regiones del país, con lo cual se buscaba minimizar las posibilidades de corrupción. Junto con sus métodos brutales, este hecho se convirtió en la fuente de hostilidad de la mayoría de los habitantes de Medellín. El Cuerpo Élite operaba en barrios de todos los estratos socioeconómicos puesto que muchos de sus objetivos se habían convertido en lo suficientemente solventes como para poder vivir en los sectores más exclusivos de la ciudad. Las personas más influyentes de Medellín y algunos de los dirigentes regionales le solicitaron entonces al gobierno que retirara al Cuerpo Élite de la ciudad, lo cual se cumplió a mediados de 1990.

La Policía Nacional creó entonces la Unidad Antisecuestro, Unase, para remplazar al Cuerpo Élite que había sido retirado de Medellín. Las familias más poderosas de Medellín agradecieron la creación de la unidad, debido a que el secuestro extorsivo es uno de los delitos más recurrentes en el país[229]. Unase se ha convertido en una fuerza efectiva contra el secuestro y ya ha resuelto un gran número de casos. Parece ser, sin embargo, que el curriculum de derechos humanos de Unase no es mucho mejor que el del Cuerpo Élite. Una fuente cercana a la situación dijo a Americas Watch que Unase rescata viva a la gran mayoría de los secuestrados, pero que ningún secuestrador sobrevive.

---

229 Entrevistas a Gilberto Echeverry, gobernador del departamento de Antioquia, y a Guillermo Sepúlveda, procurador regional, en Medellín, abril de 1991.

D. SANCIONES POR VIOLACIONES A LOS DERECHOS HUMANOS

La mayoría de las violaciones a los derechos humanos que han sido cometidas dentro del contexto de la "guerra" contra el Cartel de Medellín continúan sin ser sancionadas. El procurador delegado para el departamento de Antioquia inició una investigación preliminar por las muertes de Hernando Gaviria y John Jairo Arias Tascón, asistentes de Escobar. Americas Watch desconoce si al momento de redactar el presente informe existe ya un pliego de cargos contra los agentes responsables. Con excepción de los siguientes ejemplos, desconocemos la existencia de otras investigacines que estén en curso por los abusos cometidos por el Cuerpo Élite y Unase. Americas Watch conoce el alto índice de denuncias formuladas por las violaciones a los derechos humanos de parte de estas dos unidades y, dada la frecuencia con que los abusos están ocurriendo, considera idónea una investigación a fondo.

Sabemos de dos casos importantes en que se desarrollaron investigaciones serias y se iniciaron los procesos correspondientes. Uno de ellos es el de la muerte de la periodista Diana Turbay. El Cuerpo Élite pudo ubicar el lugar donde la mantenían capturada gracias a que había detenido a uno o más miembros del Cartel de Medellín y por lo menos uno de ellos los condujo a la periodista[230].

El periodista Richard Becerra, quien salió con vida del operativo, dijo a los medios de comunicación que un hombre joven, que indicaba el lugar del escondite, acompañaba a la Policía. Ese prisionero después desapareció. Es posible que se trate del joven que fue detenido en el distrito de Santa Mónica y que la Policía asegura murió en el enfrentamiento con los secuestradores de la señora Turbay. Pocos días después se for-

---

230 La Policía asegura que no sabía que la señora Turbay estuviese allí, sino que sus miembros creyeron que los estaban conduciendo a uno de los escondites de Pablo Escobar.

muló una denuncia ante el procurador delegado regional por estos hechos. Una mujer también denunció que su marido fue detenido, desaparecido y luego incluido en la lista de los muertos en la confrontación.

Según un informe elaborado por la Procuraduría en agosto de 1991, la investigación de los hechos culminó en pliego de cargos contra varios de los miembros del Cuerpo Élite, incluyendo al teniente coronel Lino Hernando Pinzón, al mayor Hugo Heliodoro Aguilar y al capitán Helmer Ezequiel Torres[231]. A mediados de enero de 1992, la Procuraduría concluyó la investigación y ordenó la remoción del teniente coronel Pinzón y del capitán Torres. Un comunicado emitido por la Procuraduría afirmó que Pinzón conocía el paradero de los periodistas secuestrados y sin embargo "escondió la información a sus superiores y ordenó el operativo" en el que murieron Diana Turbay y dos prisioneros. A Torres le ordenaron la remoción por "hacer uso indebido de las armas, lo que resultó en la muerte injustificada de uno de los dos prisioneros"[232*].

En un caso separado, tres hombres llegaron al aeropuerto Olaya Herrera de Medellín el 10 de julio de 1991, con el fin de entregarse voluntariamente a las autoridades. Los tres fueron interceptados en el aeropuerto, severamente torturados y posteriormente asesinados. Sus cuerpos aparecieron tres días después en El Mosquito, municipio de El Guarne. El entonces ministro de Justicia, Jaime Giraldo Ángel, uno de los arquitectos del plan de rebaja de penas, condenó el incidente. Guiller-

---

231 "Más de una veintena de investigaciones contra miembros de la Policía", *El Espectador*, 10 de agosto de 1991.

232 *Reuters*, "Colombia Punishes Policemen over Bungled Rescue Attempt", enero 15 de 1992.

* Nota del traductor: El 10 de septiembre de 1992, el Tribunal Superior Militar revocó la decisión absolutoria del Consejo Verbal de Guerra que favorecía a los miembros del Cuerpo Élite de la Policía Nacional, capitán Helmer Ezequiel Torres Vela, teniente Rafael Alberto Bernal Vera y dos cabos, por las irregularidades cometidas durante el operativo.

mo Sepúlveda, procurador delegado en Medellín, condujo una investigación que culminó con pliego de cargos disciplinarios contra tres oficiales de la Policía Metropolitana de Medellín asignados al F-2 (unidad de inteligencia) y los acusó de detención arbitraria, tortura y homicidio[233].

El 4 de marzo de 1990, el Cuerpo Élite cometió una de las peores masacres, poco después de que el Cartel de Medellín asesinara a algunos colegas policías. Un contingente de la Policía se tomó las oficinas de Inversiones Budapest en el Valle de Aburrá en Medellín y esperó a que la gente llegara. La Policía sospechaba que la firma estaba encargada de hacer los pagos ofrecidos por Escobar a quien asesinara a sus colegas. Siete personas murieron en el operativo: Dagoberto Mosquera Perea, John Freddy Castañeda Sánchez, Luis Felipe Puentes, Jaime de Jesús Pulgarín Restrepo, Walter Giraldo Montoya y Carlos Alberto y Mariano Ospina Montoya. La policía colocó armas a su lado y aseguró que habían muerto en un enfrentamiento armado.

Sin embargo, la investigación hecha por la Procuraduría demostró que las armas no habían sido disparadas. En abril de 1991, el procurador delegado para la Policía Judicial y Nacional solicitó la remoción del capitán Javier Náñez Erazo, el teniente Víctor Hugo Ruiz Sarmiento y los agentes Jorge Durán Bello, Jorge Humberto Cárdenas León y Manuel Salvador Romero. En diciembre de 1991, la Procuraduría Delegada encargada de supervisar a la Policía Judicial y Nacional consideró que había existido un "uso injustificable e innecesario de las armas" durante el operativo y solicitó la remoción de los dos oficiales y los tres suboficiales[234].

---

233 "Procuraduría vincula a miembros del F-2 al asesinato de tres narcos", *El Espectador*, 22 de agosto de 1991.
234 *Agence France Press*, "Attorney General: Police Used Excesive Violence", citado en *Foreign Broadcast Information Service*, 23 de diciembre de 1991, p. 37.

La Procuraduría absolvió al mayor Jairo Díaz Landínez, jefe de la Dijin de Medellín, y al teniente Israel Robayo, del Cuerpo Élite. También se formuló denuncia penal y la investigación está a cargo del Juzgado 93 Penal Militar en Bogotá[235].

---

235 CAJ-SC, carta a Americas Watch, 27 de diciembre de 1991; Jorge Orlando Melo, consejero presidencial para los Derechos Humanos, carta a Americas Watch, 12 de agosto de 1991.

Capítulo 5. La REFORMA INSTITUCIONAL

A. EL PROCESO DE REFORMA

Entre febrero y julio de 1991, en Colombia se debatió y se aprobó un nuevo texto constitucional para remplazar la Carta que, con excepción de unas enmiendas, estaba vigente desde 1886. El proceso constituyente fue por lo menos igual de importante al producto final, un documento que contiene reformas importantes a la protección de los derechos humanos y estimula el pluralismo político. Un movimiento comenzado por un grupo de estudiantes universitarios lanzó la iniciativa de reforma constitucional, pero el contenido mismo del documento fue debatido públicamente en forma amplia, mientras los constituyentes le daban forma en la Asamblea Nacional Constituyente.

Los estudiantes lanzaron su idea a través de la llamada "séptima papeleta" en las elecciones parlamentarias de marzo de 1990[236]. La iniciativa estudiantil encontró una enorme acogida en las urnas, lo que provocó que el gobierno convocara a un referéndum que debería ser votado de manera simultánea con las elecciones presidenciales en mayo de 1990. Nuevamente, la

---

236 El derecho de petición del constituyente primario permite a los ciudadanos solicitar un plebiscito o referéndum, junto con su voto en unas elecciones regulares. La Constitución de 1991 lo consagró en el Artículo 103, Capítulo 1, Título IV que dice: "Son mecanismos de participación del pueblo en ejercicio de su soberanía: el voto, el plebiscito, el referéndum, la consulta popular, el cabildo abierto, la iniciativa legislativa y la revocatoria del mandato".

idea de reformar el desgastado texto constitucional encontró
gran apoyo de parte de los electores.

Por medio de sus poderes de estado de sitio, la administración de Gaviria fijó el 9 de diciembre como la fecha en la que
los colombianos elegirían a los integrantes de la Asamblea Nacional Constituyente para que elaborara el nuevo texto constitucional. La Corte Suprema de Justicia que, de conformidad
con el texto constitucional aún vigente, tenía competencia para hacer el control constitucional de los decretos expedidos con
las facultades extraordinarias del estado de sitio, consideró
que el decreto se ajustaba al mandato y espíritu de la Constitución entonces vigente. Además, la Corte consideró en su fallo que la Asamblea Nacional Constituyente tenía facultades
ilimitadas para crear una nueva constitución, siempre y cuando se preservara el sistema democrático de gobierno.

En efecto, el 9 de diciembre de 1990, los colombianos eligieron a los setenta constituyentes que ocuparían las sillas de
la Asamblea Nacional Constituyente desde febrero hasta julio
de 1991. Por otra parte, las conversaciones de paz entre el gobierno y los grupos guerrilleros Quintín Lame, EPL y PRT estaban ya en curso. Anticipando un resultado exitoso, el gobierno añadió cuatro cupos a la Constituyente para que los
representantes de la guerrilla los ocuparan con poder de voz y
sin la facultad del voto, tan pronto se concluyera el acuerdo[237].

El proceso electoral en sí significó una reforma mayor. Por
primera vez en la historia colombiana, los electores utilizaron
el tarjetón electoral suministrado por el gobierno. Con anterioridad a las elecciones de diciembre de 1990 para la Asamblea
Nacional Constituyente, cada elector tenía que aportar su pro-

---

237 Las FARC y el ELN manifestaron su deseo de comenzar sus diálogos de
    paz antes de que se iniciaran las sesiones de la Asamblea Nacional
    Constituyente, y también les fueron prometidos "cupos reservados". Sin
    embargo, los dos grupos guerrilleros insistieron en el aplazamiento de
    las elecciones y las conversaciones nunca fueron iniciadas. Los diálogos
    de paz comenzaron de nuevo en 1991, cuando la Constituyente ya se
    encontraba sesionando.

pio voto o emplear aquel que le suministraba su partido político y resaltar el candidato de su preferencia, mecanismo que se prestaba para el fraude electoral y estimulaba el clientelismo perverso, especialmente en las zonas rurales[238].

Las elecciones de diciembre de 1990 fueron testigo del apoyo abrumador no solo a la AD/M-19, sino a su dirigente, Antonio Navarro Wolf, quien un año antes portaba la categoría de guerrillero. La AD/M-19 obtuvo dieciocho curules en la Constituyente. A pesar de que el Partido Liberal logró la mayoría de curules, las diferencias internas permitieron el establecimiento de alianzas entre los demás partidos. La Asamblea se convirtió entonces en un nuevo y variado espejo político, creando la esperanza del quebrantamiento del monopolio del poder de parte de los dos partidos tradicionales y de la creación de un nuevo pluralismo político[239].

En las elecciones parlamentarias de octubre de 1991, los Partidos Liberal y Social Conservador recuperaron su liderazgo. Aun así, los cambios sufridos durante las elecciones de 1990 y 1991 son importantes: en primer lugar, porque los partidos y movimientos que con anterioridad integraban grupos guerrilleros tuvieron la posibilidad de lanzarse a la actividad política con

238 Otro de los factores que contribuían al clientelismo era el de los auxilios parlamentarios o fondos discrecionales para que cada parlamentario los empleara según su criterio en su región. Los auxilios fueron abolidos en el nuevo texto constitucional, que crea un mecanismo de financiamiento público de las elecciones. Además, los candidatos ya no son elegidos por circunscripción nacional, lo cual permite que aquellos candidatos de partidos más pequeños aún tengan la posibilidad de obtener un escaño, Gustavo Gallón, "La Constitución inconclusa", en *Cien Días Vistos por Cinep*, No. 14, Bogotá, 5 de julio de 1991.

239 Para la época de la elección de los constituyentes, tanto el Partido Social Conservador como el Partido Liberal, que habían dominado la política colombiana desde los años cincuenta, se encontraban fraccionados. Una nueva tendencia denominada Movimiento de Salvación Nacional obtuvo varias curules en la Constituyente. Sin embargo, en las elecciones parlamentarias de octubre de 1991, tanto el MSN como la AD/M-19 perdieron mucho apoyo en comparación con las elecciones de diciembre de 1990.

relativa seguridad y con buenas posibilidades de éxito; y en segundo lugar, porque la diversidad de los integrantes de la Constituyente permitió un nutrido intercambio de ideas.

El público colombiano hizo un seguimiento interesado del debate constituyente y muchas organizaciones no gubernamentales participaron en los debates de las diferentes comisiones. A pesar de que el tema de la extradición capturó gran parte de la atención nacional e internacional, también se debatieron a fondo temas importantes como la protección de las minorías indígenas, el medio ambiente y los mecanismos de protección a los derechos humanos[240].

B. LA CONSTITUCIÓN DE 1991

El resultado final del proceso constituyente es un documento del cual los colombianos pueden estar orgullosos. Aún es muy pronto para asegurar que sus diferentes disposiciones se aplicarán de conformidad con el texto, pero lo más importante es que el texto en sí no se limita a recitar principios triviales. Más bien demuestra una auténtica preocupación por crear mecanismos efectivos para la protección a los derechos humanos y la urgencia de lograr la restauración de las instituciones políticas merecedoras de su dignidad.

Los mecanismos de protección a los derechos humanos reflejan el más avanzado análisis jurídico. Los instrumentos internacionales de derechos humanos ratificados por Colombia

---

240 La Asamblea invitó a organizaciones no gubernamentales de carácter internacional para que hicieran una exposición acerca de la protección a los derechos humanos. En abril de 1991, Juan E. Méndez, director ejecutivo de Americas Watch, se dirigió a una sesión conjunta de las comisiones I y IV; y en mayo, Ian Martin, secretario general de Amnistía Internacional, se dirigió a la plenaria de la Asamblea. Los comentarios de Martin generaron un caluroso debate entre Amnistía Internacional y el gobierno colombiano. *Véase* Amnistía Internacional, *Colombia: a Further Exchange of Views with the Colombian Government*, AMR, 23/69/91, diciembre de 1991.

prevalecen sobre la legislación interna y la interpretación de los derechos y garantías en la nueva Constitución deberá hacerse de conformidad con dichos instrumentos (Art. 93). Además de prohibir la pena de muerte, la Constitución prohíbe de manera expresa las "desapariciones", la tortura y otros tratos inhumanos, crueles o degradantes (Arts. 11 y 12). Además, el Estado debe tomar las medidas necesarias para garantizar la igualdad ante la ley (Art. 13).

A todos los ciudadanos se les garantiza el derecho a la intimidad y el derecho de conocer, actualizar y corregir cualquier información que sobre ellos obtenga el gobierno o cualquier persona de derecho privado (Art. 15). Se prohíbe la censura y se garantiza el "derecho de réplica... bajo condiciones equitativas" para cualquier persona que considere que ha sido maltratada por los medios de comunicación (Art. 20). Los requisitos del debido proceso incluyen la garantía de que las detenciones y allanamientos no proceden sino bajo la expedición de la respectiva orden judicial, salvo cuando el delincuente es hallado *in flagrante delicto*; cualquier persona que sea detenida preventivamente deberá ser conducida ante un juez dentro de las treinta y seis horas siguientes (Arts. 28 y 34)[241].

También existe una larga y compleja enumeración de derechos

241 La especificidad de estas disposiciones es importante porque un fallo reciente de la Corte Suprema de Justicia había aceptado la posibilidad de detención administrativa sin necesidad de una orden judicial, como excepción a la regla general. La policía podía entonces concluir la existencia de la flagrancia y así evitar el requisito de la orden judicial, cuando: 1) existen "serios indicios" de que se está cometiendo el delito; y 2) quienes habitan el lugar que ha de ser inspeccionado acceden a ello. Las pruebas obtenidas en una requisa que en otras circunstancias sería ilegítima, podrán ser empleadas dentro del proceso (Radicación 4494, Sala de Casación, 1º de junio de 1990). El magistrado ponente fue Jaime Giraldo Ángel, quien después se desempeñó como ministro de Justicia de la administración de Gaviria hasta julio de 1991. El fallo de la Corte Suprema no ha sido modificado por el nuevo Código de Procedimiento Penal, Arts. 344 y 312-313.

económicos, sociales y culturales (Arts. 42 a 77) y de derechos ambientales y del consumidor (Arts. 78 a 82).

El presidente tiene la facultad de declarar dos estados de excepción: el estado de "guerra exterior" y el estado de "conmoción interior" en caso de que sobrevengan serios disturbios que amenacen la seguridad del Estado o de los ciudadanos. Sin embargo, las facultades concedidas al presidente durante los estados de excepción son limitadas*. No podrá suspender ninguno de los derechos fundamentales (como el derecho a no ser detenido arbitrariamente, las libertades de expresión, asociación, reunión y movimiento) y los derechos humanos básicos deberán ser respetados. Las reglas del Derecho Internacional Humanitario mantienen plena vigencia. Todas las ramas del poder público mantienen la totalidad de sus facultades. La recientemente creada Corte Constitucional deberá fallar acerca de la constitucionalidad del decreto declarativo y de los decretos de estado de excepción. La Constitución le permite al presidente, por último, declarar el "estado de emergencia" cuando se presenten situaciones que amenacen el orden económico, social o ambiental (Arts. 212, 213, 214 y 215)[242].

Dentro de los derechos y garantías consagrados en la nueva Carta, los ciudadanos podrán acudir a la acción de tutela, con el fin de obtener la protección efectiva de sus derechos contra abusos cometidos por funcionarios públicos o entidades privadas que ejercen una función pública. Los jueces de conocimiento deberán resolver la tutela dentro de los diez días si-

---

*   Nota del traductor: El presidente Gaviria declaró por primera vez el estado de conmoción interior en todo el territorio nacional mediante el Decreto 1115 de 1992, por un término de siete días. Posteriormente expidió el decreto 1156 de 1992 mediante el cual suspendía la vigencia del Art. 415 del nuevo Código de Procedimiento Penal.

242   Hubiese sido preferible que la nueva Constitución estableciera limitaciones más estrictas a la duración de los estados de excepción. Consideramos que la declaratoria de cualquier estado de excepción debería corresponderle al Congreso y no a la Rama Ejecutiva; al Congreso se le debería dar al menos la posibilidad de ratificar formalmente una decisión presidencial en este sentido. *Véase* más adelante.

guientes a la interposición de la acción por el perjudicado (Art.
86). También se contempla la llamada acción popular (Art. 88)
para aquellos casos en que se quieran tutelar derechos e intereses colectivos. Las peticiones de *habeas corpus* deberán ser
resueltas dentro de un lapso de 36 horas (Art. 30), lo cual resulta significativo después de que las anteriores medidas de
estado de sitio habían convertido el *habeas corpus* en un mecanismo inútil para la protección de los detenidos[243].

La nueva Constitución también contempla la figura del
defensor del pueblo (*ombudsman*), cuyo despacho estaría
dentro de la Procuraduría General de la Nación (Arts. 281 y
282). Jaime Córdoba Triviño, quien se había distinguido desde 1989 como procurador delegado para los Derechos Humanos, fue nombrado el primer defensor del pueblo en agosto de
1991[244]. Sin embargo, la Defensoría del Pueblo aún no cuenta con el desarrollo legislativo necesario para llevar a cabo
sus funciones. El defensor del pueblo tiene facultades para
interponer la acción de tutela, el *habeas corpus* y las acciones
populares, y como miembro del Ministerio Público tiene acceso confidencial a todos los documentos y lugares de detención.

Además, el texto constitucional fortalece la legislación
existente respecto de las sanciones que puede imponer el procurador general de la Nación, teniendo ahora la facultad de
remover agentes públicos de sus cargos por fallas disciplinarias serias, después de una audiencia al funcionario (Art.
278.1). Anteriormente la Procuraduría podía tan solo reco-
mendar la remoción o cualquier otra sanción, pero la decisión
final era tomada por el superior inmediato del agente procesado. En la práctica, esta limitante permitió a los oficiales militares y de policía ignorar las recomendaciones y los procesos
de la Procuraduría.

---

243 Americas Watch, *La "guerra" contra las drogas...*, p. 50.
244 Americas Watch, *La "guerra" contra las drogas...*, p. 114. Su despacho
     tenía competencia para conocer las denuncias de desapariciones, masa-
     cres y torturas.

C. Algunos aspectos negativos de la nueva Constitución

El nuevo texto constitucional hubiese podido —y de hecho ha debido— ser más avanzado en las sanciones por las violaciones a los derechos humanos, especialmente debido a la impunidad reinante que existe actualmente. Todos los esfuerzos que se hicieron en la Constituyente por establecer un control civil más rígido sobre el estamento militar fracasaron. La Constitución además reafirmó la competencia de los jueces militares por los delitos cometidos en servicio activo o durante los operativos de contrainsurgencia, sin que exista ningún sistema de revisión de parte de la justicia civil[245]. En lo que se refiere a las sanciones por violaciones a los derechos humanos, un tema central, la nueva Constitución empeoró la situación existente porque una situación *de facto* pasó a ser una situación *de jure*. La Constitución creó la jurisdicción militar exclusiva tanto para la Policía como para los militares, dándole así vida jurídica a lo que hasta el momento era un fenómeno perverso *de facto* (Art. 221).

El nuevo texto constitucional incorpora además una vieja disposición de la CN de 1886 que choca contra el derecho internacional y que dice:

Artículo 91:

En caso de infracción manifiesta de un precepto constitucional en detrimento de alguna persona, el mandato superior no exime de responsabilidad al agente que lo ejecuta.

---

245 Al igual que en otros países, la justicia militar existente en Colombia ha favorecido la impunidad. Son varios los esfuerzos que se han hecho para modificar un régimen heredado de la Edad Media. En Argentina en 1984, por ejemplo, el nuevo Congreso modificó el Código de Justicia Militar para que incluyera la apelación automática de las decisiones tomadas por los tribunales militares, con competencia de los Tribunales Federales.

Los militares en servicio quedan exceptuados de esta disposición. Respecto de ellos, la responsabilidad recaerá únicamente en el superior que da la orden.

Dicha cláusula de "obediencia debida" podría eximir a miembros de las fuerzas armadas de responsabilidad por violaciones atroces a los derechos humanos, tales como el asesinato, las desapariciones y la tortura, si el agente alega haber seguido órdenes superiores. Dicha cláusula es violatoria del derecho internacional desarrollado en los tribunales de Nuremberg, e inclusive del derecho internacional anterior a ellos. La Convención de las Naciones Unidas contra la Tortura, la cual entró en vigencia en 1987, contempla de manera específica que la obediencia debida no constituye un eximente de responsabilidad en casos de tortura[246].

A pesar de que el artículo 91 parece confirmar la responsabilidad de los oficiales superiores, la falta de responsabilidad de parte de quienes han ejecutado directamente los actos violatorios a los derechos humanos sólo ayuda a asegurar la comisión de más abusos. A pesar de que las órdenes ilegales deben ser —en teoría— desobedecidas, resulta más probable que sean ejecutadas por los oficiales de rangos más bajos. No cabe duda de que quienes emiten la orden ilegal deben ser sancionados. Pero el mismo artículo 91 puede convertir el procesamiento de los altos oficiales en un imposible real, debido a que los procesos judiciales difícilmente podrán establecer la cadena de mando; es decir, que sería casi imposible establecer quién dio la orden inicialmente. La imposi-

---

246 Colombia ratificó dicho tratado el 10 de abril de 1985; el tratado entró en vigor en junio de 1987, después de haber sido ratificado por los veinte estados requeridos convencionalmente. Debido a que la nueva Constitución establece la supremacía de los tratados internacionales ratificados por Colombia, esperamos que los jueces colombianos interpreten la cláusula de la "obediencia debida" de manera restrictiva y que permitan hacer justicia en los casos de tortura y de otros crímenes contra la humanidad, independientemente de las órdenes superiores.

bilidad de sancionar a quienes ejecutan las violaciones a los derechos humanos dentro de las Fuerzas Militares convierte las posibilidades de sancionar un oficial en un ideal más que remoto.

Las disposiciones de la nueva Carta dejan en claro que la Asamblea estaba dispuesta a modificar el antiguo régimen, excepto en lo referente al control civil del estamento militar. El entonces ministro de Defensa, general Óscar Botero, se quejó agriamente a los medios de comunicación acerca de las investigaciones de los crímenes cometidos por las Fuerzas Armadas, cuando los debates constituyentes apenas comenzaban. Botero aseguró que la justicia militar y el principio de la "obediencia debida" eran los pilares de la disciplina militar y que las investigaciones de la Procuraduría los menospreciaban. También insistió que la "subversión" y el "narcotráfico" habían generado una idea falsa de que la justicia militar encubría vergonzosamente los crímenes y acusó a esas mismas fuerzas de cercenar la administración de justicia por parte del Estado, al intimidar a los miembros de la justicia civil. Añadió:

> Ha habido una explotación política del tema de los derechos humanos, donde los soldados y los policías son presentados como los principales violadores y los subversivos y los narcotraficantes son sus víctimas. Usted puede darse cuenta de que la farsa de la justicia es total[247].

La sensación acerca de la impunidad de los crímenes cometidos por los militares es generalizada, no sólo en Colombia sino a nivel internacional; y al contrario de lo que el general Botero cree, la impresión no ha sido generada por las fuerzas oscuras que él llama la "subversión" o el "narcotráfi-

247   *El Tiempo*, 17 de febrero de 1991.

co". Como lo demuestran los casos comentados en este y otros informes, la impunidad reina en Colombia por los crímenes que comete una amplia variedad de actores. No obstante, la fuente principal de la impunidad de los crímenes cometidos por las fuerzas de seguridad se encuentra en la resistencia que impone la alta comandancia ante la posibilidad de una investigación seria, así como la manipulación que se hace de la justicia militar y que imposibilita de plano las investigaciones.

Al final del debate, la Constituyente decidió no solamente evitar el control civil de las Fuerzas Militares, sino que enalteció la autonomía militar frente al poder civil. Según los observadores colombianos, algunos de los miembros del Partido Liberal propusieron medidas apenas tibias para limitar la autonomía militar. Los conservadores del MSN no mostraron ningún interés en la materia; y la AD/M-19, más interesada en consolidar su presencia en el campo político, acordó dejar por fuera del espectro de la reforma constitucional todos los temas militares. La impunidad resultante es una de las más grandes fallas de la nueva Constitución.

D. Las reformas institucionales desde la vigencia de la nueva Constitución

El ritmo generado para la promulgación de una nueva Constitución el 4 de julio de 1991, continuó durante varias de las semanas que siguieron a la culminación de este evento histórico. En agosto de 1991, Gaviria nombró a Rafael Pardo, uno de sus asesores de confianza, como ministro de Defensa. El nombramiento de un civil en un cargo que tradicionalmente era ocupado por el más alto oficial del Ejército es muy significativo (el último ministro de Defensa civil ocupó el cargo en 1952). El nombramiento demostró la voluntad de Gaviria de ejercer su autoridad democrática y, al contrario de lo que se esperaba, el nombramiento fue bien recibido por los miembros de las Fuerzas Militares[248].

El rompimiento del esquema tradicional fue aún más significativo, en la medida en que Pardo era uno de los asesores de mayor confianza de Gaviria y por lo tanto el nombramiento demostraba la voluntad del presidente de ejercer control sobre las fuerzas de seguridad. Pardo fue consejero para la Paz bajo el gobierno de Barco y en ese cargo desarrolló los diálogos de paz con la guerrilla, propuestos por Barco, y consolidó una resolución de conflictos a nivel local. Cuando la negociación con el M-19 culminó exitosamente, Pardo se convirtió en un hombre conocido en todo el país.

Cuando Gaviria asumió la Presidencia, Rafael Pardo fue nombrado consejero para la Defensa y Seguridad Nacional, cargo que creó el nuevo presidente. Dentro de sus funciones estaba la asesoría al presidente en temas tales como el diseño y la ejecución de políticas para las Fuerzas Militares y de Policía en su lucha contra los guerrilleros insurgentes, los narcotraficantes y los grupos paramilitares.

Sin embargo, existen límites a los planes que Pardo pueda tener. El ministro de Defensa está encargado de diseñar y supervisar la política de defensa; no tiene ninguna injerencia directa en los asuntos operacionales como tampoco tiene ninguna facultad para supervisar la justicia militar, compuesta por cuerpos independientes dentro de cada una de las tres

248 "Rafael Pardo Rueda, un civil en mindefensa", *El Tiempo*, 23 de agosto de 1991; "No estamos en desacuerdo: general Manuel Sanmiguel", *El Tiempo*, 24 de agosto de 1991; "El cambio no nos debilita: Roca", *El Tiempo*, 24 de agosto de 1991.

A pesar de ello, algunos de los dirigentes civiles de derecha tales como el constituyente Carlos Daniel Abello Roca y el dirigente de la Asociación de Cultivadores Bananeros de Urabá, José Manuel Arias Carrizosa, se unieron al general (r) Fernando Landazábal para reclamar que el nombramiento era una "concesión a la guerrilla". *Véase* "Es acertado y oportuno", *El Espectador*, 23 de agosto de 1991; y "Las divergencias", *El Tiempo*, 24 de agosto de 1991.

fuerzas[249]. Sin que exista un control civil sobre estos dos temas, resulta poco probable que haya un verdadero progreso en el respeto hacia los derechos humanos durante los operativos militares o que los crímenes cometidos por las fuerzas armadas sean sancionados[250].

Solo pocos días después del nombramiento de Pardo, Gaviria sorprendió de nuevo al público colombiano al aceptar la renuncia del general Miguel Alfredo Maza Márquez a la dirección del Departamento Administrativo de Seguridad, DAS, y posteriormente nombrar a Fernando Britto, un asesor civil de la Presidencia, como remplazo. El DAS es importante porque es el único cuerpo de seguridad que está administrativamente subordinado al presidente. Además es una fuente de inteligencia y está compuesto por una fuerza lo suficientemente grande como para brindarle flexibilidad al presidente en los asuntos de seguridad. Britto, al igual que Pardo, había sido un asesor cercano al presidente. Pero lo más significativo es la renuncia de Maza por supuesta petición del presidente, porque demuestra aún más la determinación de Gaviria de imponer la autoridad civil.

249 Entrevista al ministro de Defensa, Rafael Pardo Rueda, Bogotá, octubre de 1991.
250 Durante la elaboración del presente Informe, Pardo citó a los más altos oficiales de las Fuerzas Militares y de Policía a una reunión en la que anunció una nueva estrategia para combatir la corrupción y los abusos. El comandante de la Policía, general Miguel Antonio Gómez Padilla, aseguró que las investigaciones por los abusos cometidos por la Policía serían serias y garantizarían el cumplimiento de las reglas del debido proceso. Las reformas propuestas contemplaban la remoción de cualquier agente en servicio activo a quien se le comprobara la comisión de delitos y prohibía la transferencia de puesto o región de los agentes investigados. La Policía también será restructurada en dos frentes: uno encargado de las unidades departamentales y municipales y otro encargado de coordinar el Cuerpo Élite y las unidades de inteligencia y antinarcóticos. *Véase* "La Policía debe recuperar respeto", *El Tiempo*, 18 de febrero de 1992; Miller Rubio Orjuela, "Reestructuración orgánica en la Policía", *El Tiempo*, 19 de febrero de 1992; y Comisión Andina de Juristas, *Informativo Andino*, No. 64, 9 de marzo de 1992, p. 4.

El general Maza es un policía de carrera que había ocupado la dirección del DAS en las administraciones de Barco y Gaviria, y como tal había desempeñado un papel primordial en la ejecución de dos de las políticas más importantes de los últimos años: la identificación y desmantelamiento de los grupos paramilitares que administraban "justicia privada" y el lanzamiento de la "guerra" contra las drogas[251]. Maza también era conocido por haber resuelto varios casos de secuestro extorsivo, y ayudó a presionar al Cartel de Medellín al punto de provocar la entrega de varios de sus miembros.

Al igual que los analistas estadounidenses del tema de las drogas, Maza fue abiertamente crítico de la política de rebaja de penas y no extradición de los narcotraficantes. Su manejo del problema fue altamente militarista, diseñado no tanto para detener el flujo de la cocaína, sino para dar muerte a los principales narcotraficantes. El gobierno se encontró entonces en una posición torpe: una vez que los Ochoa y Pablo Escobar se encontraban recluidos, vio que tenía muy pocas pruebas que los pudieran condenar por los innumerables crímenes cometidos en Colombia y que más bien debía acudir a los fiscales estadounidenses para que suministraran un material probatorio judicialmente sólido.

Otra de las iniciativas que demostró el deseo de un mayor control civil sobre las Fuerzas Armadas fue el haberle otorgado libre acceso a todos los centros de detención del país al Comité Internacional de la Cruz Roja, CICR, a partir de abril de 1991. La delegación del CICR en Colombia ha visitado a los presos de las cárceles de máxima seguridad durante varios años. Sin embargo, hacía más de dos años que solicitaba infructuosamente el acceso a los centros de detención preventiva en los cuales ocurren la mayoría de los abusos durante los interrogatorios y son considerados los lugares en los cuales es más factible que

---

251 Como lo explicamos en otros apartes del presente Informe, el lanzamiento de la "guerra" contra las drogas significó el abandono casi total de la lucha contra los grupos paramilitares.

un detenido "desaparezca" antes de que se dé aviso de su captura. El CICR también solicitó que se le notificara la detención de personas sindicadas de delitos relacionados con la seguridad interna, con el fin de mantener un récord de dichas detenciones. La autorización fue posteriormente otorgada.

El mejor acceso al CICR puede ser consecuencia de las presiones de los Estados Unidos. En 1990, el Congreso estadounidense impuso condiciones a la ayuda militar que suministraba a Colombia y otros países productores al amparo de la Ley de Control Internacional de Narcóticos; una de esas condiciones era garantizar el acceso del CICR a todos los centros de detención.

A finales de 1990 le fue otorgado el acceso al CICR a los centros de detención del DAS y de la Policía Nacional. En abril de 1991, la autorización fue ampliada para cubrir "todos los centros de detención temporal o definitiva". La primera es una clave que significa las unidades de detención del Ejército, a pesar de que su política oficial es entregar a todas las personas detenidas por alguna de sus tropas a la Policía a la mayor brevedad. Tenemos conocimiento de que el CICR no encontró más obstáculos para tener acceso a los centros de detención durante la última parte de 1991 y que su delegación fue debidamente notificada de las detenciones ocurridas dentro de su ámbito de preocupación.

El CICR no publica sus investigaciones. Por el contrario, elabora informes confidenciales al gobierno que, si se reciben de buena fe, podrán ayudar a disminuir los abusos a los derechos humanos. Dado el profesionalismo de los integrantes del CICR, esperamos que la organización tenga cada vez mayor acceso a los detenidos y a los centros de detención con el fin de disminuir los índices de torturas y de desapariciones.

E. Los jueces de orden público y el debido proceso

A pesar de las nuevas disposiciones constitucionales acerca del derecho al debido proceso, la Asamblea Constituyente permitió que la jurisdicción de orden público subsistiera. Los juzgados especializados, con procedimientos especiales, fueron creados en 1984 para que asumieran el conocimiento de los procesos por narcotráfico. En 1987, fueron creados además los juzgados de Orden Público con competencia para conocer de los delitos "políticos" tales como rebelión, sedición y demás crímenes cometidos con intenciones políticas.

En noviembre de 1990, el gobierno de Gaviria unificó ambos procedimientos de jurisdicciones especiales en el llamado "Estatuto para la Defensa de la Justicia", contemplado en el decreto 2790 de 1990. Junto con las modificaciones que le fueron promulgadas en enero y febrero de 1991, la legislación en cuestión ha estado vigente durante la mayoría del tiempo cubierto por el presente informe[252]. El fallo de control constitucional de la Corte Suprema de Justicia declaró inconstitucionales nueve de los innumerables artículos de los tres largos decretos y constitucionales todos los demás. Una de las disposiciones que la Corte Suprema se negó a aceptar con justa causa se refería a los poderes del Cuerpo Técnico de la Policía Judicial, que podía señalar grandes grupos de lugares para inspeccionar con la debida autorización judicial, en lugar de tener que señalar lugares específicos. Otra facultaba a los jueces la posibilidad de negar —sin lugar a recursos— el acceso de las pruebas favorables al sindicado durante la investigación preliminar[253].

El Estatuto para la Defensa de la Justicia fue duramente criticado por juristas que lo consideraron autoritario[254]. Otros

---

252   Decreto 2790 del 20 de noviembre de 1990; decreto 99 del 14 de enero de 1991; y decreto 390 del 8 de febrero de 1991. Los anteriores decretos fueron promulgados en ejercicio de las facultades extraordinarias de estado de sitio.

253   Corte Suprema de Justicia, 11 de abril de 1991, radicación 2263 (367-E).

254   Alejandro David Aponte, "Cómo matar a la justicia en la tarea de defenderla: Estatuto para la Defensa de la Justicia", Análisis Político, No. 11, septiembre-diciembre de 1990; Federico Andreu, "Discurso democrático, revolcón autoritario", Colombia Hoy Informa, No. 87, febrero de 1991; Bernardo Vasco, "¡A luchar por la justicia!", Credencial, No. 50, enero de 1991; CAJ-SC "Los derechos humanos ante el Estatuto para la Defensa de la Justicia", febrero de 1991, y "Una justicia amenazada", febrero de 1991.

defendieron el Estatuto[255]. Diferentes miembros del gobierno lo defendieron en sus reuniones con Americas Watch[256].

El gobierno de Gaviria sometió una versión del decreto 2790 al llamado "Congresito", en el cual se mantenían los juzgados especializados, pero se eliminaban muchas de las disposiciones más controvertidas[257]. El 30 de noviembre de 1991, el "Congresito" aprobó un nuevo Código de Procedimiento Penal y los juzgados especializados pasaron a ser parte de la legislación penal permanente en Colombia. A los jueces especializados ahora se les llama "Jueces Regionales" en la primera instancia y "Tribunal Nacional" en la segunda instancia. Todos los procesos por los delitos de narcotráfico e insurgencia se encuentran en conocimiento de estos jueces.

La motivación principal para crear los juzgados consiste en el deseo de proteger a los jueces de las intimidaciones y las represalias. La protección se logra al mantener secreta su identidad. Los denominados "jueces sin rostro" promulgan sus autos y los identifican con un código en lugar de su firma; un agente administrativo certifica después que el auto fue expedido por un juez sin rostro. Los sindicados declaran ante los jueces, quienes se sientan detrás de espejos unidireccionales y cuyas voces son distorsionadas con micrófonos especiales. Además, a cada juez lo acompaña un grupo de escoltas

---

255 Andreu, "Discurso democrático..." (citando a varios ministros y a otros funcionarios). Los jueces de Orden Público produjeron un documento refutando las críticas: Dirección Nacional de Orden Público, "Análisis de la Jurisdicción de Orden Público", Bogotá, 12 de abril de 1991 (mimeo).

256 Entrevistas a Jaime Giraldo, ministro de Justicia; Carlos Gustavo Arrieta, procurador general de la Nación; Carlos Mejía, director nacional de Instrucción Criminal, Bogotá, abril de 1991.

257 El "Congresito" remplazó al Congreso cuyo mandato fue revocado con el texto constitucional de julio de 1991 y sesionó hasta que se eligió un nuevo Congreso en octubre de 1991. El "Congresito" no tenía ningún poder legislativo diferente a "improbar" las propuestas del Ejecutivo. Si el "Congresito" no lograba una mayoría suficiente que improbara una disposición, automáticamente quedaba aprobada.

armados, desde su casa hasta el juzgado o tribunal. El Estatuto para la Defensa de la Justicia también contemplaba los testigos secretos. Como lo comentaremos más adelante, esta característica se mantuvo en el nuevo Código de Procedimiento Penal (Art. 293).

Bajo el Estatuto original, la etapa del sumario era conducida por jueces sin rostro, pero se le otorgaban amplias facultades a los detectives del Cuerpo Técnico de la Policía Judicial para recolectar pruebas y hacer detenciones hasta por ocho días sin tener la obligación de poner al detenido a disposición de un juez, período que podía extenderse hasta por quince días si se trataba de dos o más sindicados. El nuevo Código de Procedimiento Penal, promulgado en noviembre de 1991, mantiene la figura del juez sin rostro, pero mejora otras disposiciones: todo sindicado, inclusive aquel que ha sido capturado in flagrante delicto, deberá ser puesto a disposición de un juez inmediatamente; si existe un detenido, el juez deberá confirmar su detención en un período de treinta y seis horas (Arts. 371-379). Si la privación de la libertad se controvierte mediante una petición de habeas corpus, el juez deberá resolver la petición en un lapso de treinta y seis horas (Arts. 430 y 431).

El Estatuto también contemplaba que el juez tenía un período de 18 días (o 35 días cuando se trataba de dos o más sindicados) para resolver la situación jurídica del detenido, una vez que este había sido puesto a su disposición. La mayoría de las facultades que tradicionalmente acompañan a los jueces, tales como ordenar allanamientos y la obtención de documentos y otras pruebas, fueron adjudicadas al director de Instrucción Criminal de Orden Público, agente administrativo por excelencia. La Policía Judicial también tenía facultades para la recolección de pruebas independientemente de que el juez la ordenara y su valor probatorio equivalía a aquellas ordenadas por el juez.

Tal como fue promulgado en la administración Gaviria, el decreto 2790 cuasi aniquilaba el habeas corpus, creaba obstáculos técnicos para la liberación de los detenidos aun después de que el juez les había cesado procedimiento e impedía al defensor la posibilidad de controvertir las pruebas durante la etapa sumarial. Los miembros del gobierno defendieron el Estatuto, argumentando que debía considerarse como un adelanto hacia el sistema "acusatorio" (en lugar del sistema "inquisitivo") a pesar de que aceptaron que era una "versión colombiana" del sistema acusatorio[258]. Por fortuna todas estas disposiciones desaparecieron del sistema legal cuando fue sometido al "Congresito" y no encontraron el camino de regreso al Código de Procedimiento Penal cuando éste fue aprobado en noviembre de 1991.

Consideramos que el Estatuto partía de una desconfianza general hacia los abogados defensores y que muchas de sus cláusulas estaban diseñadas para mantener alejados del proceso a los abogados. Los derechos del sindicado estaban presumiblemente protegidos por un agente de la Procuraduría, que tiene a su cargo la obligación de asegurar el debido cumplimiento de los servidores públicos. Creemos que los derechos del

---

258 El sistema "inquisitivo" es en general uno de los más aplicados a lo largo de América Latina, basándose en el sistema prevaleciente en la Europa continental. Un juez investigativo dirige el desarrollo de las pruebas desde el comienzo; su deber imparcial es el de recolectar todas las pruebas tanto favorables como desfavorables al sindicado. La fiscalía y la defensa solo actúan de manera simultánea en la etapa del juicio ("plenario").

Por su parte, el sistema "acusatorio" es típico de los Estados Unidos donde los fiscales se encargan de desempeñar la función principal de la etapa preliminar y el juez y los miembros del jurado son receptores pasivos de pruebas.

Ningún país latinoamericano tiene un sistema puramente inquisitivo. Consideramos que ninguno de los sistemas constituye per se una violación a los principios internacionalmente reconocidos del debido proceso. Sin embargo, nos parece que el sistema acusatorio en general requiere de más y mejores garantías para el sindicado y más de las que contemplaba el Estatuto para la Defensa de la Justicia. Un buen sistema acusatorio permitiría, por ejemplo, tener acceso a un abogado defensor inmediatamente después de la detención y le permitiría a la defensa actuar de manera activa desde el principio.

sindicado no coinciden con los intereses de un agente del Ministerio Público y que por el contrario existe un conflicto entre dichos intereses. Para nosotros, el derecho a escoger libremente un abogado defensor así como la independencia de la administración de justicia constituyen dos pilares fundamentales del debido proceso penal. Uno y otro se vieron seriamente comprometidos con el Estatuto para la Defensa de la Justicia.

Como mencionamos anteriormente, nuestras inquietudes acerca del derecho a un abogado han sido despejadas. Sin embargo, la existencia de los testigos secretos todavía compromete los derechos del sindicado. Con este esquema, la defensa no podrá interrogar o hacer interrogar a los testigos, ni tampoco controvertir su idoneidad o credibilidad. El nuevo Código de Procedimiento Penal establece algunos mecanismos de protección contra dichos testigos (Arts. 247 y 293) al prohibir una condena que se base únicamente en dichos testimonios.

No obstante vemos con preocupación que el nuevo Código de Procedimiento Penal da valor de plena prueba a las confesiones hechas ante los fiscales o las unidades investigativas (Art. 293). Consideramos que las confesiones solo son válidas cuando se declaran libremente ante un juez; cualquier otra forma de declaración contra sí mismo es tan solo una invitación a los abusos de los detenidos. Además, creemos que el sistema actual no garantizará que los jueces estén libres de intimidaciones y represalias. No cabe duda de que los jueces que trabajan en las peligrosas y volátiles zonas donde operan el narcotráfico y la insurgencia deben ser protegidos. Lo mismo se aplica a los testigos que desean acercarse a colaborar con la administración de justicia. A pesar de ello, Americas Watch no considera que el único mecanismo para proteger a los jueces y testigos sea el de cercenar las garantías judiciales del debido proceso.

Al gobierno se le debe reconocer que suprimió las disposiciones más ofensivas del Estatuto para la Defensa de la Justicia, primero, cuando lo sometió al "Congresito" y, de nuevo, cuando lo incorporó al Código de Procedimiento Penal. Por ejemplo, a la justicia militar (y por consiguiente a los militares) se le negó la posibilidad de expedir órdenes de captura y de allanamiento en zonas remotas del país. Lo que resulta más importante aún, el nuevo Código eliminó la detención incomunicada, a pesar de que la legislación colombiana se encuentra más avanzada en este tema que la mayoría de sus homólogos latinoamericanos. El Código también establece que el detenido tiene derecho a un abogado defensor desde el momento de su captura y que éste tiene derecho a controvertir las pruebas desde la etapa sumarial[259]. Resulta curioso, sin embargo, que no pueda controvertirse la admisibilidad de las pruebas en los procesos de competencia de los jueces regionales (Art. 251 CPP).

La gran efectividad del *habeas corpus*, al menos como quedó escrita, se convierte en un triunfo de los grupos de derechos humanos. Durante los debates de la Constituyente, se propuso que el *habeas corpus* no fuese suspendido bajo ninguna situación de emergencia, lo cual hubiese mantenido una armonía perfecta con el derecho internacional contemporáneo[260]. El ministro de Justicia intervino para persuadir a la Asamblea de que eliminara dicha disposición. A pesar de ello, las disposiciones restrictivas al *habeas corpus* que se encontraban vigentes con anterioridad a la nueva Constitución fueron retiradas de los proyectos sometidos al "Congresito". Según el

---

259 El gobierno también introdujo cambios sustanciales en otra legislación de estado de sitio vigente desde hacía varios años y que sometió a la aprobación del "Congresito". Por ejemplo, el decreto 1857 fue modificado para aumentar las penas por los delitos de rebelión y sedición y para reimplantar las penas por los delitos cometidos en combate. Por su parte, los decretos 1194, 813, 814 y 815 que penalizaban la contratación de sicarios o la pertenencia a grupos paramilitares se convirtieron en legislación permanente por medio de un nuevo decreto. Finalmente, el decreto 180 de 1988, también llamado el Estatuto para la Defensa de la Democracia y que trataba los delitos cometidos por los grupos insurgentes (posteriormente modificado por el decreto 1857 de 1989), fue sometido de nuevo con algunas enmiendas menores.

260 Corte Interamericana de Derechos Humanos, Opinión Consultiva OC-8/87 del 30 de enero de 1987, "Habeas Corpus en estados de emergencia", (Arts. 27(2), 25(1), y 7(6) de la Convención Interamericana de Derechos Humanos).

artículo 214 (2) de la nueva Constitución, la regulación de los
estados de excepción sólo podrá hacerse mediante Ley formal,
en lugar de un decreto legislativo. Además el gobierno no podrá suspender los derechos ni las libertades fundamentales y
las garantías judiciales que se conservan deberán sujetarse a
lo dispuesto en los tratados internacionales.

El gobierno encontró oposición en el "Congresito" cuando
eliminó una disposición referente a la facultad que tenía el
Ejército de hacer investigaciones en lugar de la Policía, si las
circunstancias lo ameritaban. El nuevo Código de Procedimiento Penal también crea la figura del fiscal general; mientras el procurador general y su equipo monitorean a los servidores públicos e inician procesos disciplinarios, el fiscal y su
equipo de colaboradores pueden denunciar a cualquiera y a
todos los violadores de la ley penal. Desafortunadamente, el
fiscal tiene la facultad de delegar libremente sus funciones, lo
cual incluye a los oficiales del Ejército dentro de las alternativas. El Código también ha sido fuertemente criticado porque
le otorga al fiscal amplios poderes para emitir órdenes de captura y de allanamientos[261]. Americas Watch se une a las propuestas en torno a la necesidad de que el fiscal deba solicitar
la debida orden judicial para estas funciones.

A pesar de los importantes cambios que fueron comentados, Americas Watch reitera su preocupación por la permanencia de la jurisdicción creada en el Estatuto para la Defensa
de la Justicia. Aunque reconocemos los graves problemas de
seguridad que deben enfrentar los miembros de la Rama Judicial en Colombia, nos inquieta la falta de responsabilidad
personal inherente al sistema de los "jueces sin rostro". Para
el sindicado, la falta de identidad del juez disminuye su seguridad personal respecto del debido empleo del cuidado y la imparcialidad necesarios en la delicada tarea de administrar justicia. También nos mostramos inquietos ante la permanencia
de la institución de los testigos secretos en el nuevo Código,

261   Código de Procedimiento Penal, Arts. 120, 309, 313 y 370-384.

aun cuando no pueda condenarse con base en estos únicos testimonios. El derecho a que el abogado defensor pueda interrogar a los testigos desfavorables al sindicado se ve seriamente violado mediante el empleo de los testigos secretos, toda vez que el defensor no podrá esgrimir argumentos necesarios para tachar la idoneidad del testigo.

El proyecto de ley presentado por el gobierno para la regulación de los estados de excepción contemplados en el nuevo texto constitucional se convierte en un motivo adicional de preocupación para Americas Watch[262]. El proyecto ha sido criticado justamente, por abstenerse de mencionar cuáles son los derechos limitados durante los estados de excepción. Sin embargo, el proyecto sí establece cuáles derechos no serán suspendidos de conformidad con la Convención Americana de Derechos Humanos. A pesar de ello, limitarse a mencionar cuáles son los derechos no suspendibles resulta insuficiente, debido a que la jurisprudencia ha interpretado la ambigüedad resultante, en el pasado, en el sentido de permitir restricciones a todos aquellos derechos que no están específicamente señalados[263].

También nos preocupa que el proyecto de ley permita la detención administrativa, sobre la base de poder suspender el derecho a no ser detenido arbitrariamente. Aun cuando en otros países la detención administrativa es permitida durante los estados de excepción y a pesar de que no contraría el derecho internacional, parece estar en amplia contradicción con la nueva Constitución, que supera en este campo los estándares internacionales.

Además, si se concede a los miembros del Ejecutivo la facultad de detener, el estado de excepción se convierte no solo en la oportunidad de cometer arbitrariedades, sino abusos

---

262 *El Tiempo*, 31 de enero de 1992, citado en *Foreign Broadcast Information Service*, 28 de febrero de 1992.

263 Gustavo Gallón, "Un estado en su sitio", Cinep, Bogotá, 1991, pp. 33-34; Alfredo Vázquez Carrizosa, "Conmoción interior o estado de sitio incontrolado", Comité Permanente por la Defensa de los Derechos Humanos, Bogotá, 1992, p. 11.

aún peores[264]. Americas Watch considera que sería preferible que el derecho a no ser detenido arbitrariamente no fuese derogable. Como medida alternativa, podría investirse únicamente al presidente de la República de la facultad de ordenar detenciones, detallando las causales de detención y estipulando que toda detención estaría sujeta a un control judicial inmediato. Una disposición en este sentido aseguraría no sólo la legalidad sino el equilibrio.

La falta de claridad acerca del control judicial resulta aún más importante si se tiene en cuenta la extraordinaria amplitud de los poderes que el proyecto de ley le confiere al presidente durante los estados de excepción. Por ejemplo, el presidente estaría facultado para imponer serias restricciones al derecho a la libertad de expresión, las libertades de locomoción y asociación, el derecho a la intimidad y el derecho de huelga. También consideramos que los controles políticos son inadecuados. Si una situación de "conmoción interior" puede arrasar con la mayoría de libertades, debería haber un debate democrático acerca de las condiciones necesarias (conexidad) para la declaratoria de la "conmoción interior" que justifiquen medidas en este sentido. El proyecto, sin embargo, permite que el Ejecutivo establezca la suspensión por un período de noventa días y la extienda por un período de noventa días adicionales, sin control alguno de parte del Congreso antes de un período de seis meses. Consideramos que al Congreso se le debe otorgar la posibilidad de controlar en todo momento el estado de excepción.

Americas Watch sugiere que el proyecto de ley debe definir cuáles son los requisitos de conexidad para la declaratoria del estado de "conmoción interior" y que para tales efectos debe seguir los parámetros fijados en el Pacto Internacional de Derechos Civiles y Políticos: una emergencia "que amenace la vida de la nación".

---

264   Gustavo Gallón, "Un estado en su sitio...".

Capítulo 6.   LA POLÍTICA DE ESTADOS UNIDOS

Al igual que con otros países andinos, la política exterior de Estados Unidos hacia Colombia se ha visto dominada por la incesante preocupación por el narcotráfico, a pesar de estar en detrimento del respeto por la vigencia de los derechos humanos. A lo largo de 1991, el gobierno Bush prefirió apoyar las actividades antinarcóticos en lugar de denunciar las violaciones a los derechos humanos. De hecho la terquedad del gobierno estadounidense en la persecución de los narcotraficantes ha impedido en algunas oportunidades el mejoramiento de los derechos humanos en Colombia.

En enero de 1991, la administración Bush certificó formalmente que en Colombia se cumplía con el respeto necesario a los derechos humanos, según las exigencias de las leyes de asistencia antinarcóticos de Estados Unidos. Dicha certificación fue expedida a pesar del informe del Departamento de Estado titulado "Country Reports on Human Rights Practices for 1990". Dice textualmente el informe:

> Las unidades y los individuos pertenecientes al Ejército y la Policía participaron en varias violaciones preocupantes a los derechos humanos, incluyendo ejecuciones sumarias, torturas y masacres... Las violaciones oficiales a los derechos humanos contrarían la política del gobierno pero hasta el momento los esfuerzos hechos de parte de los organismos de seguridad por terminar dichos abusos han sido inadecuados"[265].

265   Departamento de Estado de Estados Unidos, "Country Reports on Human Rights Practices for 1990", febrero de 1991, pp. 548-549.

El informe del Departamento de Estado para el año de
1991 también hace una descripción de las graves violaciones
cometidas por los organismos de seguridad del Estado. Sin
embargo, la asistencia de seguridad no ha sido disminuida como consecuencia del aumento de violaciones por parte de las
entidades receptoras[266].

Además de contener varios errores fácticos, la certificación enviada por Bush al Congreso demuestra una clara intención de deshacerse del esfuerzo de la Ley de Control Internacional de Narcóticos de 1990, por establecer condiciones de derechos humanos. El legislador no quería, al redactar la Ley, que la asistencia estadounidense antinarcóticos apoyara a los organismos andinos de seguridad comprometidos en la violación a los derechos humanos ni que
Estados Unidos se viera comprometido con organismos vio-
lentos[267].

A pesar de que algunos de los congresistas objetaron la
equivocada decisión acerca de la situación de derechos humanos en Colombia, no se hizo ningún esfuerzo por someter al
gobierno Bush al contenido o espíritu de la Ley. La falta de
respuesta de parte del Congreso puede explicarse por la difi-
cultad de comprender la compleja situación de derechos humanos en Colombia. También es posible que el Congreso estu-

---

266   Las condiciones establecidas en la Ley de Control Internacional de Nar-
      cóticos de 1990 se aplicaron únicamente para la asistencia de seguridad
      correspondiente al año fiscal de 1991. Por consiguiente, no hubo ningún
      condicionamiento del gasto antinarcóticos para 1992.
267   La Ley específica de la asistencia antinarcóticos no podrá ser suminis-
      trada a aquellos países cuyas fuerzas militares y de policía se encuen-
      tren comprometidas en "violaciones masivas de los derechos humanos
      internacionalmente reconocidos". Según la Ley, los gobiernos receptores
      deben asegurarse de que "no se practiquen la tortura, los tratos inhu-
      manos, crueles o degradantes, la detención incomunicada, la detención
      sin una previa acusación y un juicio posterior, las desapariciones y de-
      más negaciones del derecho a la vida, la libertad y la seguridad de la
      persona".

viera reticente a criticar a Colombia, por ser éste el país mejor aliado por el momento en la "guerra" contra las drogas[268].

La firme determinación del gobierno Bush de menospreciar la situación de derechos humanos en Colombia se mantuvo. Por ejemplo, Bernard Aronson, subsecretario de Estado para Asuntos Interamericanos, afirmó el 20 de febrero de 1992 en el Senado:

> Damos la bienvenida al esfuerzo que hace el Congreso por asegurar la vigencia de los derechos humanos como parte de nuestra estrategia antinarcóticos. Sin embargo, negar la ayuda o imponer condiciones imposibles de cumplir, solo aleja la meta de mejorar la situación de derechos humanos. En la vida real, lo perfecto es el enemigo de lo bueno[269].

El presidente Bush también se negó a cuestionar públicamente las violaciones a los derechos humanos de parte de los países receptores (incluyendo a Colombia) en la cumbre contra las drogas celebrada en febrero de 1992, junto con varios representantes tanto de Estados Unidos como de otros países latinoamericanos. Además, ninguno de los miembros del Departamento de Estado, con quienes dialogamos inmediatamente después de concluida la cumbre, recordaba haber sostenido conversación alguna respecto del tema de los derechos humanos en las reuniones privadas con los representantes colombianos.

Cuando ha mencionado el tema de los derechos humanos, la administración Bush ha exagerado el énfasis en los abusos

---

268 A diferencia de la tibia posición del Congreso en el caso colombiano, la negación fue contundente en el caso del Perú. *Véase* Americas Watch, *"Into the Quagmire"*, septiembre de 1991.

269 Declaración de Bernard Aronson, subsecretario de Estado para Asuntos Interamericanos, ante la Subcomisión de Operaciones Internacionales contra el Narcotráfico y el Terrorismo de la Comisión de Relaciones Exteriores, 20 de febrero de 1992 (citado en *Federal News Service*, 20 de febrero de 1992, Sección F-4-5, p. 2).

cometidos por los grupos guerrilleros y los narcotraficantes y
ha minimizado la responsabilidad de los organismos de seguridad y de los grupos paramilitares derechistas que se les aso-
cian en Colombia. Por ejemplo, el subsecretario de Estado para
los Derechos Humanos y Asuntos Humanitarios, Richard
Schifter, al dirigirse al Congreso el 4 de marzo de 1992, hizo
caso omiso de los abusos cometidos por los organismos de seguridad. Al ser cuestionado por un congresista acerca de los
proyectos específicos del gobierno Bush para terminar con la
violencia en Colombia, Schifter respondió:

> El problema en Colombia... es un problema muy serio refle-
> jado en primer lugar en los grupos insurgentes y, en segundo
> lugar, en los narcotraficantes... son sobre todo los narcotra-
> ficantes quienes representan el mayor problema en la medi-
> da en que existe eeehh... alguna colaboración entre los dos...
> es decir, entre los movimientos insurgentes con motivación
> política y los narcotraficantes, lo que agrava el problema[270].

A lo largo del año fiscal de 1991, Colombia recibió 27.1 millones de dólares en asistencia militar y 50 millones de dólares en
Fondos de Apoyo Económico para asistencia antinarcóticos[271].

---

270 Declaración de Richard Schifter, subsecretario de Estado para los Dere-
     chos Humanos y Asuntos Humanitarios, ante la Subcomisión de Derechos
     Humanos y Organismos Internacionales de la Comisión de Asuntos Inter-
     nacionales de la Cámara de Representantes, 4 de marzo de 1992 (citado
     en *Federal News Service*, 4 de marzo de 1992, sección K-3-6, p. 2).

271 Inicialmente, la administración Bush había solicitado 58 millones de
     dólares en asistencia militar para el año fiscal de 1991, pero después de
     que Estados Unidos y Perú no pudieron llegar a ningún acuerdo respecto
     de la ayuda antinarcóticos para 1990, una gran proporción de la ayuda
     militar originalmente asignada para el Perú fue reasignada para Co-
     lombia y sustraída luego de la solicitud colombiana para el año fiscal de
     1991.
     Los Fondos de Apoyo Económico hacían parte del paquete antinarcóticos,
     de tal forma que Colombia no podría recibir dichos fondos sin aceptar la
     asistencia militar. Tal como lo afirma el Congressional Presentation Do-
     cument de 1991, "los Fondos de Apoyo Económico serán empleados para
     apoyar políticas de ajuste económico y para brindar una base económica
     necesaria para soportar los costos de la guerra antinarcóticos".

También se suministraron 20 millones de dólares para la policía y otros 4 millones de dólares adicionales para desarrollar programas de asistencia. A Colombia se le han asignado 58 millones de dólares en asistencia militar y 20 millones más en asistencia para los operativos antinarcóticos de la Policía para el año fiscal de 1992; otro tanto ya ha sido solicitado para el año fiscal de 1993.

Colombia se alejó de los proyectos antinarcóticos de Estados Unidos en torno a la militarización de la "guerra" contra las drogas, cuando en febrero de 1992 anunció que preferiría que la ayuda antinarcóticos se suministrara a la Policía en lugar del Ejército. La decisión se desprende lógicamente de la ineficacia del Ejército en combatir a los narcotraficantes. Durante los últimos años, ha sido evidente que la asistencia estadounidense suministrada para la tarea antinarcóticos ha sido desviada hacia operaciones de contrainsurgencia. En marzo de 1990, dos de los más altos oficiales del Ejército colombiano afirmaron ante los miembros de la Comisión de Operaciones Gubernamentales de la Cámara de Representantes, que del total de 40.3 millones de dólares enviados para la guerra contra las drogas durante el año fiscal de 1990, emplearían una suma equivalente a 38.5 millones para operativos de contrainsurgencia en las zonas donde el narcotráfico es prácticamente inexistente[272].

Según algunos miembros del Departamento de Estado, la redistribución propuesta de la asistencia brindada al Ejército, que equivale a solo 3 millones de dólares de los 58 millones originalmente asignados para el año fiscal de 1992, se encontraba en período de negociación mientras se redactaba el presente informe[273]. Sin embargo la reasignación de los fondos del Ejército hacia la Policía ha sido discutida en los medios de co-

272 Comisión de Operaciones Gubernamentales, "Stopping the Flood of Cocaine with Operation Snowcap: is it Working?", 14 de agosto de 1990, pp. 83-84.
273 La mayoría de la asistencia estadounidense para los operativos antinarcóticos se ha destinado a la Policía, la Marina y la Fuerza Aérea.

municación colombianos. Un vocero de la Embajada de Estados Unidos afirmó en febrero de 1992 que "esta vez no se le dará nada al Ejército; antes, al Ejército siempre le tocaba algo"[274].

Debido al largo historial de violaciones a los derechos humanos, Americas Watch ha sido persistente en su crítica de la asignación de la asistencia antinarcóticos al Ejército colombiano. Por consiguiente, damos la bienvenida a la terminación de la asistencia militar para el Ejército y el comienzo del apoyo a la Policía para lo que consideramos un problema estrictamente policivo. No obstante, nos preocupan los informes acerca de las violaciones a los derechos humanos cometidas por la Policía, algunas de las cuales hemos reseñado en nuestros informes anteriores. Hasta tanto no terminen las violaciones a los derechos humanos de parte de la Policía, Americas Watch se continuará oponiendo a que Estados Unidos brinde su asistencia a la Policía colombiana.

Durante los dos últimos años, Colombia también ha recibido aproximadamente 2.5 millones de dólares en fondos para entrenamiento. Personal militar colombiano ha recibido entrenamiento en el campo de los derechos humanos en las escuelas militares estadounidenses, el cual incluye el trato de civiles y de combatientes capturados. Sin embargo, un informe publicado en septiembre por el U.S. General Accounting Office asegura que debido a la ausencia de cifras sobre la materia, no es posible determinar cuántos oficiales militares o de policía han recibido dicho entrenamiento[275]. Americas Watch considera que la única forma de evaluar el éxito de los programas de entrenamiento en derechos humanos es mediante el monitoreo de las actividades y el mantenimiento de estadísticas acerca del personal militar y de policía que se beneficia de dicho entrenamiento.

---

274 Ancel Martínez, "United States Ends Military Aid to Colombian Army", *Reuters*, 26 de febrero de 1992.
275 U.S. General Accounting Office, "Drug War: Observations on Counternarcotics Aid to Colombia", septiembre de 1991, p. 37.

En agosto de 1991, la administración Bush anunció además un proyecto según el cual se destinarían 36 millones de dólares para el fortalecimiento del sistema judicial colombiano. La meta final del programa consiste en mejorar la efectividad del sistema judicial de tal forma que se administre debida justicia a los narcotraficantes, sin que éstos sean extraditados hacia Estados Unidos. Según la información suministrada por el Departamento de Estado, los primeros 6.5 millones serán entregados en el segundo trimestre de 1992.

Algunos de los receptores principales de la ayuda han sido los jueces regionales y los Tribunales Nacionales, que tienen a su cargo el procesamiento de los narcotraficantes. Como lo comentamos en el Capítulo 5, Americas Watch comprende los problemas de seguridad que deben enfrentar los miembros de la Rama Judicial colombiana. Sin embargo, nos preocupa que esta jurisdicción viola las normas del debido proceso al emplear testigos secretos y jueces sin rostro. El empleo de los testigos secretos resulta extremadamente problemático porque el abogado defensor no tiene la posibilidad de controvertir aquellas características que considera afectan la credibilidad del testigo. Mientras sentimos simpatía por el justificado temor de los jueces colombianos, consideramos que su falta de identidad disminuye la responsabilidad necesaria para asegurar el cuidado e imparcialidad necesarios en la administración de justicia (desafortunadamente, y a pesar de ser "sin rostro", los jueces continúan siendo atacados) *.

La extradición era un tema de controversia entre los gobiernos de Colombia y Estados Unidos, porque el primero se oponía esgrimiendo argumentos de soberanía nacional. Estados Unidos condenó públicamente la decisión de la Constituyente de prohibir la extradición de nacionales colombianos. En junio de 1991, mientras se debatía la prohibición a la extradición, el entonces embajador de Estados Unidos en Bogotá, Thomas McNa-

---

* Nota del traductor: *Véase* la mención del asesinato de Miryam Rocío Vélez en nota de traductor en el Capítulo 4, p. 124.

mara, afirmó que la prohibición "es un error... dada la debilidad
y la corrupción reinante en el sistema judicial. Perder la extradición significa perder una herramienta fundamental en la lucha contra el narcotráfico"[276]. El subsecretario de Estado para
Asuntos Interamericanos, Bernard Aronson, se unió en febrero
de 1992 a la crítica de MacNamara, al decir: "Considero que la
pérdida de la extradición es muy desafortunada. Es una buena
herramienta"[277].

Puesto que la soberanía se ubica en el corazón de la disputa acerca de la extradición, el tema sobrepasa la esfera de competencia de Americas Watch. No asumimos *per se* posición alguna respecto de la extradición de nacionales para que sean
juzgados en Estados Unidos. No obstante y tal como lo describimos en el Capítulo IV del presente informe, consideramos
que el gobierno estadounidense sobrestimó la extradición tal
como estuvo vigente desde finales de 1989 hasta finales de
1990. La puesta en marcha de la extradición tampoco produjo
ningún resultado significativo en el procesamiento de los principales narcotraficantes. Además, el sistema establecido por el
presidente Barco y defendido por Estados Unidos se encontraba viciado de violaciones a los derechos humanos. La extradición se hizo con un mecanismo eminentemente administrativo
y sin ninguna revisión judicial, lo cual resultó en un aumento
de violencia por parte de los miembros del Cartel. La prohibición de la extradición en la nueva Constitución de 1991 y la
oferta de rebaja de penas, condujo a una reducción sustancial
de los crímenes atribuibles al Cartel de Medellín y a la detención de los principales narcotraficantes. A pesar de ello, aun
falta por ver si los narcotraficantes que actualmente se encuentran detenidos serán debidamente procesados y castigados por la justicia colombiana.

276 Douglas Farah, "Top Colombian Trafficker Surrenders", *The Washing-
     ton Post*, 20 de junio de 1991.
277 Declaración del subsecretario de Estado Bernard Aronson, ante la Co-
     misión de Relaciones Exteriores del Senado, Sección F-4-8, p. 2.

Un ejempló preocupante de la política de perseguir narcotraficantes a cualquier precio lo constituyen las protestas elevadas por Estados Unidos por el remplazo del general Maza por un civil en septiembre de 1991. Maza había dirigido una campaña sangrienta contra el narcotráfico, en la que se incluyeron torturas y ejecuciones extrajudiciales de los sospechosos de narcotráfico y de sus familias. Además, los asesinatos de los candidatos a la Presidencia Bernardo Jaramillo y Carlos Pizarro ocurrieron mientras Maza estaba encargado de su seguridad. No obstante recibía apoyo de Estados Unidos, porque colaboraba con los esfuerzos de la DEA. Pero fueron tan grandes los esfuerzos de la campaña antidrogas de Maza por dar muerte a los narcotraficantes, que no se recolectaron pruebas suficientes que condenaran a los narcos que posteriormente se entregaron de manera voluntaria y los colombianos ahora dependen de las pruebas recolectadas en Estados Unidos (Estados Unidos ha colaborado con Colombia y ha suministrado pruebas contra Pablo Escobar y otros narcotraficantes).

Capítulo 7. CONCLUSIONES

El presente Informe demuestra cómo la persistencia de una violencia política abrumadora amenaza las posibilidades de los colombianos por obtener un verdadero pluralismo político. El conflicto armado que se desarrolla desde hace varias décadas se ha intensificado durante los últimos dieciocho meses, y con él han aumentado las violaciones al derecho de la guerra cometidas por ambas partes en conflicto. Tanto los defensores de derechos humanos como otros miembros de la sociedad civil han contribuido enormemente al aumento de la conciencia acerca de la necesidad de lograr un mayor respeto por las normas del Derecho Internacional Humanitario. A pesar de ello, los grupos guerrilleros que aún se mantienen activos y en especial las FARC y el ELN se han visto comprometidos en violaciones sistemáticas contra los civiles y contra otros objetivos ilegítimos[278]. Por su parte, los operativos de contrainsurgencia desarrollados por el Ejército colombiano, los organismos de seguridad del Estado y los grupos paramilitares y de autodefensa que actúan a la sombra de oficiales militares, constituyen tácticas de "guerra sucia" que también son violatorias de los estándares internacionalmente reconocidos.

Americas Watch apoya todos los esfuerzos que han hecho los colombianos para que ambas partes en conflicto se acojan

---

278 A pesar de que no tenemos información detallada acerca de las violaciones cometidas por la disidencia del EPL que pertenece a la CGSB, sabemos que ha cometido varias violaciones, incluyendo secuestros.

a los estándares internacionales para conflictos armados y se une a ellos en su llamado para que cese la violencia contra la población civil.

El proceso de paz que fue iniciado en 1989 ha comenzado a dar frutos. A pesar de la existencia de varios actos de violencia contra los excombatientes, los acuerdos mediante los cuales los grupos guerrilleros entregaron las armas y se reincorporaron a la vida civil, se han mantenido firmes. Sin embargo, los numerosos ataques contra exguerrilleros subestiman la credibilidad del proceso de paz y cuestionan las posibilidades de llegar a un acuerdo de paz con los dos grupos más grandes y más antiguos del país.

La continuación de las conversaciones con los grupos adheridos a la CGSB demuestra que a pesar de los contratiempos, ha sido posible avanzar, aun cuando sea en medio de un clima rodeado de incertidumbre. El presidente Gaviria se ha mostrado flexible en descartar algunas de las condiciones impuestas como prerrequisitos para entrar a negociar, incluyendo el cese unilateral del fuego de parte de la guerrilla[279]. En su más reciente demostración de voluntad de paz, Gaviria nombró a un alto y respetado dirigente político para dirigir las negociaciones con las FARC, el ELN y la disidencia aún existente del EPL.

La "guerra" contra las drogas, apoyada con tanto entusiasmo por la administración Bush se ha diluido. Colombia, al igual que Bolivia y Perú, se ha opuesto a una de las principales condiciones de la campaña antidrogas del presidente Bush: la participación de las fuerzas militares en un problema estrictamente policivo. Así mismo, el gobierno de Colombia se alejó de la estrategia estadounidense cuando ofreció, en medio del acalorado clamor de dirigentes de Estados Unidos, la no extradición y rebaja de penas a los narcotraficantes a cambio de su confesión, en lugar de continuar una loca persecución en su contra. La estrategia de Gaviria ha arro-

---

279 El cese al fuego continúa siendo, por obvias razones, una prioridad de los negociadores del gobierno.

jado algunos resultados: los dirigentes del infame Cartel de Medellín se encuentran detenidos, sus operaciones de narcotráfico están perturbadas y su contribución a la violencia política y a la desestabilización de las instituciones democráticas se encuentra disminuida. El narcotráfico, sin embargo, no ha desaparecido. El Cartel de Cali aumentó su influencia durante la persecución de sus rivales de Medellín; se han abierto nuevos mercados y el acceso al mercado estadounidense no ha sido verdaderamente controlado. Tanto el Cartel de Cali como varios minicarteles continúan expandiéndose sobre nuevas zonas rurales colombianas y los nuevos cultivos de amapola comienzan a sembrar terror entre las comunidades indígenas y campesinas.

En 1991, los colombianos terminaron exitosamente un experimento de liberalización política. Después de un debate público de gran participación, una Asamblea Nacional Constituyente popularmente elegida redactó el texto de una nueva Constitución Política. La nueva Carta refleja un esfuerzo valiente por ampliar la participación política y brindar mayores garantías a los derechos fundamentales. Sin embargo, la Constituyente falló en la necesidad de reformar las prerrogativas de que disfrutan las fuerzas armadas y, lo que es peor, la Constitución de 1991 aleja aún más a las fuerzas armadas y a los organismos de seguridad de un control civil o judicial. El artículo 91 que contempla la debida obediencia como defensa por la violación de derechos humanos, contradice abiertamente las obligaciones internacionalmente contraídas por Colombia en el ámbito de los derechos humanos y, al permitir que se eluda la responsabilidad personal, constituye una invitación abierta para la comisión de mayores violaciones.

El gobierno de Gaviria ha adoptado otras medidas que parecen señalar una voluntad de reforma. Algunos civiles confiables han sido nombrados para ocupar cargos que anteriormente estaban reservados para oficiales militares o de la Policía y se han tomado nuevas medidas para corregir la corrupción y los abusos existentes en la Policía. Además ha surgido una nueva conciencia respecto de la necesidad de corregir algunas de las más graves violaciones del derecho al debido proceso, que habían logrado institucionalizarse a través de las facultades extraordinarias de estado de sitio. Desafortunadamente, las jurisdicciones especializadas para el procesamiento de sindicados de delitos conexos al narcotráfico o a delitos políticos, se mantuvieron a pesar de la nueva Carta. Aun cuando hubo algún progreso, la jurisdicción especializada mantiene algunas características —tales como los testigos anónimos y los jueces sin rostro— que a nuestro parecer comprometen el derecho a un debido proceso.

La voluntad del gobierno de Gaviria de ajustarse de buena fe a los temas de derechos humanos constituye una valiosa contribución a las reglas de derecho. Varias entidades investigan y comparten información acerca de las violaciones cometidas por los agentes estatales de manera directa, o gracias a su complacencia. Además el propio presidente y algunos de sus asesores se han presentado personalmente a los lugares donde han ocurrido masacres y las han condenado severamente, como un gesto especial hacia las víctimas de estos hechos horripilantes. Algunas entidades independientes del Estado han contribuido a la salvaguardia de los derechos humanos, publicando informes honestos y serios acerca de las violaciones.

La sociedad civil por su parte ha contribuido a luchar por la verdad y la justicia. Algunas organizaciones no gubernamentales de derechos humanos han mejorado sus técnicas de investigación y su metodología, aumentado así su credibilidad. Una comisión independiente sobre la Superación de la Violencia, creada como consecuencia del acuerdo de paz firmado entre el gobierno y el EPL, produjo un estudio importante que se detenía a examinar las raíces mismas de la violencia política y recomendaba las medidas necesarias para superarla.

Los defensores colombianos de derechos humanos continúan desafiando las leyes de la probabilidad, mientras avanzan en la campaña a favor de las víctimas. A lo largo del último año y medio han sufrido atentados y amenazas y por lo menos tres defensores fueron asesinados; y a pesar de que el gobierno reconoce la legitimidad de la defensoría de los derechos humanos, los dirigentes militares regionales de las zonas más conflictivas del país los han puesto en mayor peligro aún, al tratarlos públicamente como agentes de la subversión. Por lo tanto, y a pesar de las buenas intenciones y los pequeños avances, la violencia política continúa cobrando víctimas en Colombia. La situación de los derechos humanos no ha mejorado. Las cifras de masacres, asesinatos, desapariciones y muertes en combate continúan desesperadamente elevadas. El éxito en las conversaciones de paz reduciría las cifras, toda vez que las muertes en combate significan una tercera parte del total de muertes políticas. Los asesinatos cometidos por la guerrilla contra los no combatientes también se verían reducidos si se llegara a una tregua. Por su parte, los asesinatos, desapariciones y masacres atribuibles al Ejército, a los organismos de seguridad del Estado y a los grupos paramilitares, no encuentran un panorama tan definido de mejoramiento, aun. si se negocia exitosamente con la guerrilla.

Desde el punto de vista de Americas Watch, la reducción de esas violaciones requiere de un esfuerzo mayor del que actualmente se hace. Consideramos que las medidas resumidas en el presente Informe no constituyen hechos aislados, ni pueden justamente ser consideradas como "maquillaje". Por el contrario, consideramos que las medidas tomadas hasta el momento por el gobierno contribuirán a la larga, a disminuir el índice de violaciones. Cada medida sirve además para otro propósito inmediato: la preocupación y el interés demostrado por las autoridades democráticas legitiman aún más el debate por los derechos humanos y desacreditan las actitudes obtusas que todavía demuestran los dirigentes militares.

A pesar de ello, las medidas del gobierno se verán reducidas a una mediana efectividad, si no se decide acusar, procesar y condenar con firmeza cada caso de violación a los derechos humanos, independientemente de quién sea descubierto como responsable. El gobierno ha comenzado a actuar en este importante campo: nuestro Informe comenta algunos casos en los cuales existen investigaciones serias. Sin embargo, la culminación satisfactoria de las investigaciones no está garantizada aún y, comparativamente, la cifra continúa siendo ínfima frente a los múltiples casos de impunidad.

Al gobierno no se le puede juzgar en el campo de la responsabilidad por su actitud o por sus tendencias favoritistas ni sus logros. El procesamiento y condena de las violaciones masivas a los derechos humanos constituye una de las más sólidas obligaciones contraídas por los Estados, y los colombianos tienen derecho a exigir esfuerzos inmediatos y de buena fe en los intentos de procesamiento de los violadores.

Las deficiencias del sistema judicial y los limitados recursos investigativos no pueden esgrimirse como una disculpa por la impunidad: Colombia posee suficientes abogados, investigadores y magistrados talentosos y valientes y el gobierno debe darle prioridad a la lucha contra la impunidad. Un buen comienzo podría ser revivir el pequeño esfuerzo que se hizo en 1989 por desmantelar los grupos de "autodefensa" y de "justicia privada" y por privarlos del apoyo del que gozan de parte de los oficiales militares en las zonas rurales.

El gobierno debe además demostrar que la justicia militar no continuará como un pretexto para la impunidad para aquellos casos de violaciones cometidas por agentes de las fuerzas militares o de policía. Los tribunales militares no pueden producir investigaciones fidedignas y procesos imparciales; no permiten la participación de las víctimas y eluden los esfuerzos hechos por un juicio público. Americas Watch considera que la justicia civil, a pesar de sus dificultades, se encuentra mejor equipada para administrar justicia en los casos que involucran a agentes del Estado. También consideramos que al gobierno colombiano le incumbe el aseguramiento de investigaciones y procesamientos de buena fe, asignando los recursos necesarios y suministrando la debida protección contra la corrupción y la intimidación.

A pesar de las enormes limitaciones de la administración de justicia colombiana, los demás esfuerzos por mejorar cada regla de derecho y las posibilidades de participación política, aumentará las posibilidades de reducir la violencia política y las violaciones a los derechos humanos. Este informe lo dedicamos como una humilde contribución al debate colombiano sobre los derechos humanos, como símbolo de admiración al valor y la recursividad de nuestros muchos amigos y colegas colombianos, con la esperanza de que no se encuentre demasiado lejana la posibilidad de un futuro mejor.

AMIGO SANTANDEREANO..!

ESTA ES LA MACABRA EMPRESA DE LOS BANDIDOS DEL ELN Y FARC..!

DENUNCIELOS

B/MANGA   B/MEJA

Este anuncio, publicado originalmente en el periódico *El Tiempo* del 22 de marzo de 1992, fue posteriormente reproducido y distribuido por los miembros del Batallón Antiaéreo Nueva Granada. La propaganda retoma los pronunciamientos públicos hechos por el comandante de dicho batallón y por el grupo paramilitar "Ariel Otero", activo en la zona.

El ataque, dirigido contra Credhos, que ha sufrido serias amenazas por su labor legítima de documentación y defensa de los derechos humanos, demuestra el enorme peligro que diariamente deben enfrentar los defensores de derechos humanos en el país.

este libro terminó de imprimirse
en enero de 1993
en los talleres de tercer mundo editores,
santafé de bogotá, colombia,
apartado aéreo 4817